崇文館 家庭典藏

崇文国学经典
普及文库

左传

（春秋）左丘明◎撰
赵捷 赵英丽◎注译

长江出版传媒
崇文书局

左传

图书在版编目（CIP）数据

左传 /（春秋）左丘明撰；赵捷，赵英丽注译.
—武汉：崇文书局，2017.1
（崇文国学经典普及文库）
ISBN 978-7-5403-4269-2
Ⅰ. ①左…
Ⅱ. ①左… ②赵… ③赵…
Ⅲ. ①中国历史－春秋时代－编年体②《左传》－注释③《左传》－译文
Ⅳ. ①K225.04
中国版本图书馆 CIP 数据核字（2016）第 251382 号

出 品 人　潘启胜

统　　筹　陈中琼
责任编辑　阳爱梅

出版发行　长江出版传媒｜崇文书局
地　　址　武汉市雄楚大街 268 号 C 座 11 层
电　　话　(027)87293001　邮政编码　430070

印　　刷　中印南方印刷有限公司
开　　本　889×1194　1/32
印　　张　5.25
字　　数　116 千字
版　　次　2017 年 1 月第 1 版
印　　次　2017 年 1 月第 1 次印刷
定　　价　19.80 元
（如发现印装质量问题，影响阅读，请与承印厂调换）

总序

现代意义的“国学”概念，是在19世纪西学东渐的背景下，为了保存和弘扬中国优秀传统文化而提出来的。1935年，王缁尘在世界书局出版了《国学讲话》一书，第3页有这样一段说明：“庚子义和团一役以后，西洋势力益膨胀于中国，士人之研究西学者日益众，翻译西书者亦日益多，而哲学、伦理、政治诸说，皆异于旧有之学术。于是概称此种书籍曰‘新学’，而称固有之学术曰‘旧学’矣。另一方面，不屑以旧学之名称我固有之学术，于是有发行杂志，名之曰《国粹学报》，以与西来之学术相抗。‘国粹’之名随之而起。继则有识之士，以为中国固有之学术，未必尽为精粹也，于是将‘保存国粹’之称，改为‘整理国故’，研究此项学术者称为‘国故学’……”从“旧学”到“国故学”，再到“国学”，名称的改变意味着褒贬的不同，反映出身处内忧外患之中的近代诸多有识之士对中国优秀传统文化失落的忧思和希望民族振兴的宏大志愿。

从学术的角度看，国学的文献载体是经、史、子、集。崇文书局的这一套国学经典普及文库，就是从传统的经、史、子、集中精选出来的。属于经部的，如《诗经》《论语》《孟子》《周易》《大学》《中庸》《左传》；属于史部的，如《战国策》《史记》《三国志》《贞观政要》《资治通鉴》；属于子部的，如《道德经》《庄子》《孙子兵法》《鬼谷子》《世说新语》《颜氏家训》《容斋随笔》《本草纲目》《阅微草堂笔记》；属于集部的，如《楚辞》《唐诗三百首》《豪放词》《婉约词》《宋词三百首》《千家诗》《元曲三百首》《随园诗话》。这套书内容丰富，而分量适中。一个希望对中国优秀传统文化有所了解的人，读了这些书，一般说来，犯常识性错误的可能性就很小了。

崇文书局之所以出版这套国学经典普及文库，不只是为了普及国学常识，更重要的目的是，希望有助于国民素质的提高。在国学教育中，有一种倾向需要警惕，即把中国优秀的传统文化“博物馆化”。“博物馆化”是20世纪中叶美国学者列文森在《儒教中国及其现代命运》中提出的一个术语。列文森认为，中国传统文化在很多方面已经被博物馆化了。虽然中国传统的经典依然有人阅读，但这已不属于他们了。“不属于他们”的意思是说，这些东西没有生命力，在社会上没有起到提升我们生活品格的作用。很多人阅读古代经典，就像参观埃及文物一样。考古发掘出来的珍贵文物，和我们的生命没有多大的关系，和我们的生活没有多大关系，这就叫作博物馆化。“博物馆化”的国学经典是没有现实生命力的。要让国学经典恢复生命力，有效的方法是使之成为生活的一部分。崇文书局之所以强调普及，深意在此，期待读者在阅读这些经典时，努力用经典来指导自己的内外生活，努力做一个有高尚的人格境界的人。

国学经典的普及，既是当下国民教育的需要，也是中华民族健康发展的需要。章太炎曾指出，了解本民族文化的过程就是一个接受爱国主义教育的过程："仆以为民族主义如稼穑然，要以史籍所载人物制度、地理风俗之类为之灌溉，则蔚然以兴矣。不然，徒知主义之可贵，而不知民族之可爱，吾恐其渐就萎黄也。"（《答铁铮》）优秀的传统文化中，那些与维护民族的生存、发展和社会进步密切相关的思想、感情，构成了一个民族的核心价值观。我们经常表彰"中国的脊梁"，一个毋庸置疑的事实是，近代以前，"中国的脊梁"都是在传统的国学经典的熏陶下成长起来的。所以，读崇文书局的这一套国学经典普及读本，虽然不必正襟危坐，也不必总是花大块的时间，更不必像备考那样一字一句锱铢必较，但保持一种敬重的心态是完全必要的。

期待读者诸君喜欢这套书，期待读者诸君与这套书成为形影相随的朋友。

陈文新

（教育部长江学者特聘教授，武汉大学杰出教授）

前言

《左传》原名《左氏春秋》，西汉经学家认为它是解释《春秋》的，因而又称《春秋左氏传》。《春秋》是春秋时期鲁国史官编写的鲁史，但因其记事简略，措词隐晦，不易被人理解，于是就出现了各种解说此书的“传”。《汉书·艺文志》记载《春秋》传有五家，后来《邹氏传》、《夹氏传》失传，现仅存《左氏传》、《公羊传》、《谷梁传》三种，即所谓《春秋》三传。

《左传》是我国第一部叙事详备的编年体历史著作，记载的历史年代和《春秋》大致相当，同起于鲁隐公元年（公元前722年）。《春秋》止于鲁哀公十六年（公元前479年），《左传》止于鲁哀公二十七年（公元前468年），实际记事到鲁悼公十四年（公元前453年），比《春秋》多记26年。

《左传》虽为解说《春秋》而作，但其内容却远远多于《春秋》，由《春秋》的1万多字增加到18万字。除记述鲁国的政治、经济、军事、文化、灾异等史实外，对于当时其他各国有一定影响的大小事件也做了大量的增补和解说。这些记述，真实地反映了当时的社会现实，揭露了统治集团内部的矛盾和大小统治者的荒淫残暴，同情劳动人民的苦难生活，要求安定社会秩序，有一定的进步思想。《左传》的史学价值为历代所赞赏，它完善和发展了由《春秋》开创的编年体史书体裁，继承了古代史官“不虚美，不隐恶”的优良史法，其系统翔实的史实记载，是研究我国古代历史的重要文献资料。

《左传》长于修辞，其写作技巧尤为后人称道。在叙述战争和复杂的事件时有条不紊，繁简得当，始终保持着严谨的结构。又善于从人物的语言、行动和其他细节中塑造形象，突出性格，使各种人物千姿百态，栩栩如生。因此，《左传》不仅是我国古代重要的史学著作，也是有很高价值的文学巨著。它为后代历史著作和叙事散文树立了典范，许多伟大的史学、文学家，都从中汲取了营养。

《左传》的最初作者相传是春秋晚期的鲁国史官左丘明。后经人增补修订，成书于战国初期。《左传》的注本历来很多，最为通行的是晋杜预注、唐孔颖达疏的《春秋左传注疏》。当前流行的杨伯峻的《春秋左传注》，考订精审，资料宏富，是一部便于阅读和研究使用的较好注本。

本书选文 34 篇，大多是记述战争、朝聘、兴国、弑君、灾异等重大历史事件的有代表性的名篇，希望能反映《左传》的基本面貌和写作特点。注释以连贯内容，说明事件背景为主，能够在译文中表达清楚的问题一般不注。译文基本为直译，某些难以对等翻译、不便说明的地方采取了直译与意译相结合的方法。在处理注释和今译的某些问题时，学习参考了前人或今人的有关著作，因篇幅所限，恕未一一注明出处。

contents

目录

郑伯克段于鄢

（隐公元年）

【原文】

初，郑武公娶于申，曰武姜，生庄公及共叔段[①]。庄公寤生[②]，惊姜氏，故名曰寤生，遂恶之。爱共叔段，欲立之。亟请[③]于武公，公弗许。及庄公即位，为之请制[④]。公曰："制，岩邑也，虢叔[⑤]死焉，佗邑唯命[⑥]。"请京，使居之，谓之京城大叔[⑦]。

祭仲曰："都城过百雉[⑧]，国之害也。先王之制：大都，不过参国之一[⑨]；中，五之一；小，九之一。今京不度，非制也[⑩]。君将不堪。"公曰："姜氏欲之，焉辟害？"对曰："姜氏何厌之有？不如早为之所，无使滋蔓[⑪]！蔓，难图也。蔓草犹不可除，况君之宠弟乎？"公曰："多行不义，必自毙，子姑待之。"

既而大叔命西鄙、北鄙贰于己[⑫]。公子吕曰："国不堪贰，君将若之何？欲与大叔，臣请事之；若弗与，则请除之，无生民心。"公曰："无庸，将自及[⑬]。"大叔又收贰以为己邑，至于廪延[⑭]。子封[⑮]曰："可矣，厚将得众。"公曰："不义不昵[⑯]，厚将崩。"

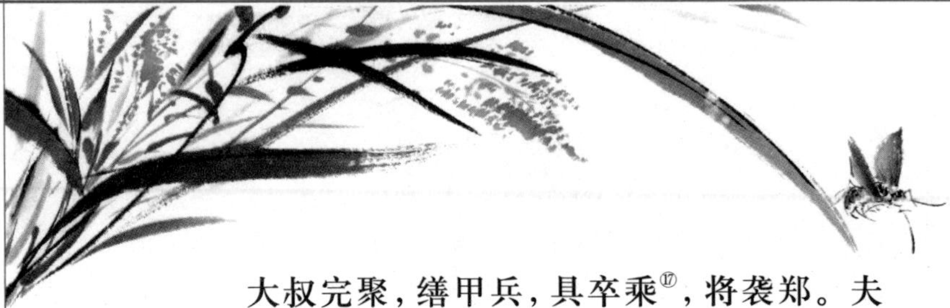

大叔完聚，缮甲兵，具卒乘[17]，将袭郑。夫人将启之。公闻其期，曰："可矣。"命子封帅车二百乘以伐京。京叛大叔段。段入于鄢[18]。公伐诸鄢。五月辛丑[19]，大叔出奔共。

书曰："郑伯克段于鄢。"段不弟，故不言弟；如二君，故曰克；称郑伯，讥失教也；谓之郑志。不言出奔，难之也。

遂置姜氏于城颍[20]，而誓之曰："不及黄泉，无相见也！"既而悔之。

颍考叔为颍谷封人[21]，闻之，有献于公。公赐之食，食舍肉[22]。公问之，对曰："小人有母，皆尝小人之食矣，未尝君之羹，请以遗之。"公曰："尔有母遗[23]，繄[24]我独无！"颍考叔曰："敢问何谓也？"公语之故，且告之悔。对曰："君何患焉！若阙[25]地及泉，隧而相见，其谁曰不然？"公从之。公入而赋："大隧之中，其乐也融融[26]！"姜出而赋："大隧之外，其乐也泄泄[27]！"遂为母子如初。

君子[28]曰："颍考叔，纯孝也，爱其母，施及庄公。《诗》曰：'孝子不匮，永锡[29]尔类。'其是之谓乎！"

【注释】

①共叔段：段为名字，郑庄公之弟。叔，排行在后的，年少的。共，国名，段后来出奔共国，故称共叔段。

②寤生：寤同“牾”，倒着。寤生即出生时脚先出来，造成难产。

③亟请：屡次请求。

④制：又名虎牢，在今河南荥阳东北，是郑国地势险要的地方。

⑤虢叔：东虢国君。东虢为郑所灭，制遂为郑地。

⑥佗：同“他”。唯命：听从所请。

⑦京：郑邑，在今荥阳东南。大同“太”，大叔即太叔。

⑧都城：都邑之城墙。雉：量词，长三丈，高一丈，为一雉。

⑨参国之一：国都的三分之一。按当时的制度，侯伯之国的城墙周长为三百雉，即九百丈。在其属下的最大城邑不得超过都城的三分之一，即一百雉。参同“叁”。

⑩不度：不合法度。非制：不是先王的制度。

⑪滋蔓：滋长蔓延，以喻共叔段的势力不断扩张发展。

⑫鄙：边邑。贰于己：分属二主，即本来庄公管理，共叔段也要管理。

⑬无庸：用不着。自及：自己赶上。

⑭廪延：郑邑，在今河南延津东北。

⑮子封：即公子吕，字子封，郑大夫。

⑯不义不昵：意指对君不义，对兄不亲。

⑰具卒乘：具，准备。卒，步兵。乘(shèng)，兵车。意为把步卒和兵车准备好。

⑱鄢：郑地名，在今河南鄢陵。

⑲五月辛丑：古人以干支纪日，五月辛丑即隐公元年(公元前722年)五月二十三日。

⑳城颍：郑邑，在今河南临颍县西北。
㉑颍考叔：郑大夫。颍谷：郑边邑。封人：管理边疆的官员。
㉒食舍肉：舍同“捨”，把肉放起来不吃。
㉓遗：音 wèi，馈送。
㉔繄：音 yī，句首语气词。
㉕阙：挖。
㉖融融：和乐相安的样子。
㉗泄泄：舒畅快乐的样子。
㉘君子：作者假托的人，《左传》中常以此种形式发表对所记历史事件的评论意见。
㉙锡：同“赐”。引诗见今《诗经·大雅·既醉》。

【译文】

起初，郑武公在申国娶了个妻子，名叫武姜，生了庄公和共叔段。庄公是脚先头后出生的，造成难产，使姜氏很惊恐，所以给他取名叫寤生，并因此讨厌他。姜氏喜爱共叔段，想立他为太子。屡次向武公请求，武公不肯答应。等到庄公继位为国君，姜氏请求将制地作为共叔段的封邑。庄公说：“制地是地势险要的地方，虢叔曾经死在那里。其他地方都可以听命。”姜氏改而请求京城，让共叔段住在那里，称为京城太叔。

祭仲说：“都邑城墙的周长超过三百丈，就给国家带来祸害。先王的制度规定：大的都邑城墙不超过国都的三分之一；中等的不超过五分之一；小的不超过九分之一。现在京城的城墙不合先前的规定，这不是该有的，您会忍受不了的。”庄公说：“姜氏要这样，哪里能避免祸害呢？”祭仲回答说：“姜氏怎么会有满足的时候？不如及早加以安排，不要让祸根各处蔓延，一旦蔓延就难以对付了。蔓延的野草尚且不能铲除掉，何况是您宠爱的弟弟呢？”庄公说：“多行不义，必然会自取灭亡。您姑且等着吧！”

不久，太叔命令西部和北部的边境既听庄公的命令，又听自己的命令。公子吕说：“国家不能忍受这种两面听命的情况，您打算怎么办？您要把君位让给太叔，下臣就去侍奉他；如果不给，那就请除掉他，不要让老百姓产生其他想法。”庄公说：“用不着，他会自取其祸。”太叔又收取原来两属的地方作为自己的封邑，并扩大到廪延一带。公子吕说：“可以动手了。势力一大，将会争得民心。”庄公说：“没有正义就不能号召人，势力虽大，反而会崩溃。”

太叔整治城郭，储备粮草，补充武器装备，充实步兵车兵，准备袭击郑国都城。姜氏则打算作为内应打开城门。庄公打听到太叔起兵的日期，说：“可以了。”就命令公子吕率领二百辆战车进攻京城。京城的人反叛了太叔，太叔逃到鄢地。庄公又赶到鄢地进攻。五月二十三日，太叔又逃到共国。

《春秋》上说：“郑伯克段于鄢。”太叔所作所为不像兄弟，所以不说“弟”字；兄弟相争，好像两个国君打仗一样，所以用个“克”字；把庄公称为“郑伯”，是讥讽他没有尽教诲之责；《春秋》这样记载就表明了庄公的本来意思。不说“出奔”，是因为史官下笔有困难。

于是庄公就把姜氏安置在城颍，发誓说：“不到黄泉不再相见。”不久以后又后悔起来。

颍考叔当时在颍谷做边疆护卫长官，听说了这件事，就献给庄公一些东西。庄公赏赐给他食物，在吃的时候，他把肉留下来不吃。庄公问他为什么，他说：“我有母亲，我孝敬她的食物她都已尝过了，就是没有尝过您给的肉汁，请求让我带给她吃。”庄公说：“你有母亲可送，而我却没有！”颍考叔说：“请问这是什么意思？”庄公就对他说明了原因，并且告诉他自己很后悔。颍考叔回答说：“您有什么可忧虑的啊！如果挖地见到泉水，在隧道里面相见，那有谁说不行？”庄公听从了颍考叔的意见。庄公进了地道，赋诗说：“在大隧中相见，多么快乐啊！”姜氏走出隧道，赋诗说：“走出隧道之外，多么舒畅啊！”于是母子像从前一样。

君子说：“颍考叔可算是真正的孝子啊，爱他的母亲，感动到庄公。《诗》说：‘孝子的孝心没有穷尽，永远可以影响他的同类。’说的就是这样的事情吧！”

石碏大义灭亲

（隐公三年—四年）

【原文】

卫庄公娶于齐东宫得臣之妹，曰庄姜，美而无子，卫人所为赋《硕人》[①]也。又娶于陈，曰厉妫，生孝伯，早死。其娣戴妫，生桓公，庄姜以为己子。

公子州吁，嬖人之子也，有宠而好兵，公弗禁，庄姜恶之。石碏[②]谏曰："臣闻爱子，教之以义方，弗纳于邪。骄、奢、淫、泆，所自邪也。四者之来，宠禄过也。将立州吁，乃定之矣；若犹未也，阶之为祸。夫宠而不骄，骄而能降，降而不憾，憾而能昣[③]者，鲜矣。且夫贱妨贵，少陵长，远间亲，新间旧，小加大，淫破义，所谓六逆也；君义，臣行，父慈，子孝，兄爱，弟敬，所谓六顺也。去顺效逆，所以速祸也。君人者，将祸是务去，而速之，无乃不可乎？"弗听。其子厚与州吁游，禁之，不可。桓公立，乃老。

四年春，卫州吁弑桓公而立。……

州吁未能和其民，厚问定君于石子[④]。石子曰："王觐[⑤]为可。"曰："何以得觐？"曰："陈桓公方有宠于王，陈、卫方睦，若朝陈使请，必可得也。”厚从州吁如陈。石碏使告于陈曰：“卫国褊小，老夫耄矣，无能为也。此二人者，实弑寡君，敢即图之。”陈人执之，而请莅于卫。九月，卫人使右宰丑莅杀州吁于濮[6]。石碏使其宰獳羊肩莅杀石厚于陈。

君子曰：“石碏，纯臣也。恶州吁而厚与焉。‘大义灭亲’，其是之谓乎！”

【注释】

①《硕人》：见《诗经·卫风·硕人》。

②石碏：卫大夫。碏，音 què。

③眕：音 zhěn。《说文》：“目有所恨而止也。”意谓心中愤恨而能克制。

④定君：使君位安定。石子：即石碏。

⑤王觐：觐，朝见。王觐即觐王，朝见周天子。

⑥濮：陈国地名，今属安徽。

【译文】

卫庄公娶了齐国太子得臣的妹妹，名叫庄姜。庄姜漂亮却没有生孩子，卫国人因此为她创作了《硕人》这篇诗。卫庄公又在陈国娶了一个妻子，叫厉妫，生了孝伯，很小就死了。跟厉妫陪嫁来的妹妹戴妫，生了桓公，庄姜就把他作为自己的儿子。

公子州吁，是卫庄公宠妾的儿子，得到庄公的宠爱，而他喜欢武事，卫庄公也不干涉，庄姜很讨厌他。石碏规劝庄公说：“我听说喜欢自己的儿子，应当以道义去教育他，不要使他走上邪路。骄傲、奢侈、放荡、逸乐，这是走上邪路的开始。这四种恶习之所以发生，是由于宠爱太过分。如果准备立州吁做太子,那就定下来;如果还不定下来,就会逐渐酿成祸乱。那种受宠而不骄傲,骄傲而能安于地位下降,地位下降而不怨恨,怨恨而能克制的人,是很少的。而且低贱妨害尊贵,年少驾凌年长,疏远离间亲近,新人离间旧人,弱小欺侮强大,淫欲破坏道义,这就是六种反常现象。国君行事道义,臣子服从命令,父亲慈爱,儿子孝顺,兄爱弟,弟敬兄,这就是六种正常现象。去掉正常而效法反常,这就会很快地招致祸害。作为君主,应该尽力去掉祸害,现在您却加速它的到来,恐怕是不可以的吧?"庄公不听。石碏的儿子石厚和州吁交往,石碏禁止他,没有用。卫桓公即位,石碏就退休了。

四年春,卫国的州吁杀了卫桓公而自立为国君。……

州吁不能安定他的百姓,石厚向石碏询问安定君位的办法。石碏说:"朝觐了周天子就可以取得合法的地位。"石厚又问:"如何才能去朝觐呢?"石碏说:"陈桓公正在受到周天子的宠信。现在陈、卫两国正和睦友善,如果朝见陈桓公,让他代为请求,就一定能达到目的。"于是石厚就跟随州吁到了陈国。石碏派人告诉陈国说:"卫国地方小,我老头子年纪大了,不能做什么事了。这两个人,确实杀死了我们的国君,请您趁此机会除掉他们。"陈国人把这两个人抓住,而请卫国派人来陈国处置。九月,卫国人派右宰丑在陈国的濮地杀了州吁,石碏派他的管家獳羊肩在陈国杀了石厚。

君子说:"石碏真是个忠臣啊。怨恨州吁,同时连同自己的儿子石厚。'大义灭亲',说的就是这种情况吧!"

曹刿论战

（庄公十年）

【原文】

十年春，齐师伐我[1]。公将战，曹刿[2]请见。其乡人曰："肉食者[3]谋之，又何间焉？"刿曰："肉食者鄙[4]，未能远谋。"乃入见。

问："何以战？"公曰："衣食所安，弗敢专也，必以分人。"对曰："小惠未遍，民弗从也。"公曰："牺牲玉帛，弗敢加也，必以信。"对曰："小信未孚[5]，神弗福也。"公曰："小大之狱，虽不能察，必以情[6]。"对曰："忠之属也，可以一战。战，则请从。"

公与之乘。战于长勺[7]。公将鼓之，刿曰："未可。"齐人三鼓，刿曰："可矣。"齐师败绩。公将驰之，刿曰："未可。"下，视其辙[8]。登轼[9]而望之，曰："可矣！"遂逐齐师。

既克，公问其故。对曰："夫战，勇气也。一鼓作气，再而衰，三而竭。彼竭我盈，故克之。夫大国，难测也，惧有伏焉。吾视其辙乱，望其旗靡⑩，故逐之。"

【注释】

①齐师伐我：庄公九年，为护送公子纠回齐国争位，鲁国曾攻打齐国。故称齐伐鲁。

②曹刿：鲁国一位没有权势的公族，又名曹沫。刿，音 guì。

③肉食者：古代规定大夫以上，每日均可食肉。而普通人非至七十，难以食肉。意指在位的达官贵族。

④鄙：固陋短见而又缺乏智谋。

⑤孚：借为覆，覆盖、包罗之意。

⑥情：实际情况，合乎情理。

⑦长勺：鲁国地名，在今山东曲阜市北境。

⑧辙：音 zhé，车轮辗压的痕迹。

⑨轼：音 shì，车前用作扶手的横木。

⑩靡：倒伏。旗靡：旗帜倒了下去。

【译文】

十年春季，齐国的军队攻打鲁国。庄公准备迎战，曹刿请求进见。他的同乡人说："那些天天吃肉的人在那里谋划，你又去掺和什么！"曹刿说："吃肉的人鄙陋不通，没有深谋远虑。"于是入宫进见。

曹刿问鲁庄公说："您依靠什么来作战？"庄公说："暖衣饱食，不敢独自享受，一定分给别人。"曹刿回答说："小恩小惠不能周遍，百姓不会跟从的。”庄公说：“祭用的牛羊玉帛，不敢擅自增加，祷告的言词一定反映实情。”曹刿回答说：“一点诚心也不能代表一切，神明不会降福的。”庄公说：“大大小小的案件，虽然不能完全洞察，但必定合情合理地去办。”曹刿回答说：“这是尽心为百姓办好事啊，可以凭这个打一仗。打起来，请让我跟着去。”

鲁庄公和曹刿同乘一辆兵车，与齐军在长勺展开战斗。庄公准备击鼓，曹刿说：“还不行。”齐人三通鼓罢，曹刿说：“可以了。”齐军大败。庄公准备追上去，曹刿说：“还不行。”下车，仔细看齐军的车辙，然后登上车前的横板远望，说：“行了。”就下令追击齐军。

战胜以后，鲁庄公问曹刿取胜的原因。曹刿回答说：“作战全凭勇气。第一通鼓振奋勇气，第二通鼓勇气就少了一些，第三通鼓勇气就没有了。他们的勇气没有了，而我们的勇气刚刚振奋，所以战胜了他们。大国是难于捉摸的，恐怕有埋伏。我仔细看他们的车辙已经乱了，远望他们的旗帜倒了下去，所以才追逐他们。”

召陵之盟

(僖公四年)

【原文】

四年春，齐侯以诸侯之师侵蔡[①]。蔡溃，遂伐楚[②]。

楚子使与师言曰："君处北海，寡人处南海[③]，唯是风马牛不相及也。不虞君之涉吾地也，何故？"管仲对曰："昔召康公命我先君大公[④]曰：'五侯九伯，女实征之，以夹辅周室。'赐我先君履[⑤]，东至于海，西至于河，南至于穆陵，北至于无棣。尔贡包茅[⑥]不入，王祭不共，无以缩酒，寡人是征。昭王[⑦]南征而不复，寡人是问。"对曰："贡之不入，寡君之罪也，敢不共给？昭王之不复，君其问诸水滨！"师进，次于陉[⑧]。

夏，楚子使屈完如师。师退，次于召陵[⑨]。

齐侯陈诸侯之师，与屈完乘而观之。齐侯曰："岂不谷是为[⑩]？先君之好是继，与不谷同好，如何？"对曰："君惠徼福于敝邑[⑪]之社稷，辱收寡君，寡君之愿也。"齐侯曰："以此众战，谁能御之？以此攻城，何城不克？"对曰："君若以德绥诸侯，谁敢不服？君若以力，楚国方城[12]以为城,汉水以为池,虽众,无所用之。”

屈完及诸侯盟。

【注释】

①侵蔡:僖公三年,蔡姬因荡舟得罪齐桓公,齐送之回蔡国,并没断绝婚姻关系,但蔡人却让她改嫁了。故有侵蔡之举。

②伐楚:郑国曾亲近齐国,连遭楚伐。为称霸中原,遏止楚势力北上,在打败蔡国之后,侵楚门户已开,遂伐楚。

③北海、南海:泛指北方、南方,言其相距甚远。

④先君大公:齐始封之国君,即姜太公姜尚,字子牙。大,同“太”。

⑤履:践踏,足迹所到之地,意指齐国可以征伐的范围。

⑥包茅:裹成捆的青茅草,是楚国应向周王室贡纳的土特产,供祭神用。

⑦昭王:周昭王,南征渡汉水时溺死。

⑧次于陉:次,驻扎。陉,山名,今属河南。

⑨召陵:楚地,今属河南。

⑩不谷:原为天子自谦之称,此齐桓公自称。岂不谷是为,意言诸侯兴师,并非为齐国自己,是为了周王室来讨伐你们的。

⑪徼福于敝邑:徼,求。敝邑,谦称自己的国家。

⑫方城:山名,在今河南叶县南。

【译文】

四年春季,齐桓公率领各诸侯的联军侵入蔡国,蔡军溃败。于是接着去攻伐楚国。

楚成王派使者来到军中说:“君王住在北方,我们住在南方,相隔遥远,即使发情的牛马狂奔相诱也不能彼此到达。可是没有想到君王

竟然领兵进入我国，这是什么缘故啊？”管仲回答说：“从前召康公命令我们的先君太公说：‘五侯和九伯，你都可以发兵征讨，以便共同辅佐王室。’赐给我们先君征讨的范围，东到大海，西到黄河，南到穆陵，北到无棣。你们应该进贡王室的包茅还没有送去，周王的祭祀用品供应不上，不能漉酒祭神，我为此前来追究。周昭王南征到楚国没有回去，我为此前来责问。”使者回答说：“贡品没有送上，这是我们国君的罪过，岂敢不供给？至于昭王没有回去的事，君王还是到汉水边去问问吧！”诸侯的军队继续前进，屯兵在楚国的陉地。

夏天，楚成王派遣屈完带兵到诸侯军驻地。诸侯军队撤退，驻扎在召陵。

齐桓公将所率领的军队排列成阵势，然后和屈完同乘一辆兵车观看。齐桓公说：“诸侯发兵难道是为了我一个人吗？先君的友好关系应该继续保持，我们两国重修旧好怎么样？”屈完回答说：“君王惠临敝国谋求福祉，将我君收为同好，这正是我们国君所希望的。”齐桓公说：“用这样的军队作战，谁能抵抗他们？用这样的军队攻城，什么城打不下？”屈完回答说：“君王如果用德义安抚诸侯，谁敢不服从？如果用武力，楚国有方城山作为城墙，有汉水作为护城河，君王的军队就是再多，也没有什么地方能够用得上。”

屈完和各诸侯订立了盟约。

宫之奇谏虞假道

(僖公二年—五年)

【原文】

晋荀息请以屈产之乘与垂棘之璧[①]，假道于虞以伐虢[②]。公曰："是吾宝也。"对曰："若得道于虞，犹外府也。"公曰："宫之奇存焉。"对曰："宫之奇之为人也，懦而不能强谏。且少长于君，君昵之。虽谏，将不听。"乃使荀息假道于虞，曰："冀[③]为不道，入自颠軨，伐鄍三门。冀之既病，则亦唯君故。今虢为不道，保于逆旅[④]，以侵敝邑之南鄙。敢请假道，以请罪于虢。"虞公许之，且请先伐虢。宫之奇谏，不听，遂起师。夏，晋里克、荀息帅师会虞师伐虢，灭下阳[⑤]。……

(五年秋)晋侯复假道于虞以伐虢。宫之奇谏，曰："虢，虞之表也。虢亡，虞必从之。晋不可启，寇不可玩[⑥]。一之谓甚，其可再乎？谚所谓'辅车[⑦]相依，唇亡齿寒'者，其虞、虢之谓也。"公曰："晋，吾宗[⑧]也，岂害我哉？"对曰："大伯、虞仲，大王之昭也。大伯不从，是以不嗣。虢仲、虢叔，王季之穆也。为文王卿士，勋在王室，藏于盟府。将虢是灭，何爱于虞？且虞能亲于桓、庄乎，其爱之也？桓、庄之族[9]何罪，而以为戮，不唯逼乎？亲以宠逼，犹尚害之，况以国乎？”公曰：“吾享祀丰洁，神必据我。”对曰：“臣闻之，鬼神非人实亲，惟德是依。故《周书》[10]曰：‘皇天无亲，惟德是辅。’又曰：‘黍稷非馨，明德惟馨。’又曰：‘民不易物，惟德繄物。’如是，则非德，民不和，神不享矣。神所冯依，将在德矣。若晋取虞，而明德以荐馨香，神其吐之乎？”弗听，许晋使。宫之奇以其族行[11]，曰：“虞不腊[12]矣。在此行也，晋不更举矣。”……

冬十二月丙子，朔，晋灭虢。虢公丑奔京师。师还，馆于虞。遂袭虞，灭之。执虞公及其大夫井伯，以媵秦穆姬。而修虞祀，且归其职贡于王。

【注释】

①屈、垂棘：晋地名，屈邑出好马，垂棘产美玉。

②虞、虢：国名，虢在虞之南，故晋师伐虢，必假道于虞。

③冀：冀国，在今山西河津。曾无故攻伐虞邑。

④逆旅：客舍。保于逆旅：言以客舍为碉堡，出则侵，退则保。

⑤下阳：同夏阳，虢邑，在今山西平陆县东北。

⑥玩：忽视，放松警惕。

⑦辅车：辅为车厢两旁之板，与车相辅相依，与下“唇亡齿寒”喻意相同。

⑧宗：同姓，同一宗族。晋、虞、虢都是姬姓国，同一祖先。

⑨桓、庄之族：曲沃桓叔和庄伯，是晋献公的曾祖和祖父，他们的非嫡长子孙，均被献公所杀。

⑩《周书》：已佚，即《逸周书》。

⑪以其族行：率领同族远离虞国以避祸。

⑫腊：年终举行的一种祭祀。不腊：不能过腊祭就要亡国了。

【译文】

晋大夫荀息请求用屈地所产的名马和垂棘出产的美玉，向虞国借路去攻打虢国。晋献公说："这些是我们晋国的宝物啊。"荀息回答说："假如从虞国能借到路，宝物放在虞国，就如同放在晋国的外库一样。"献公说："有名臣宫之奇在那里，怕不好办吧。"荀息回答说："宫之奇的为人，懦弱而不能坚决进谏，而且他从小就和虞君一起在宫中长大，虞君对他很亲昵，即使进谏，虞君也不会听从。"于是晋献公派荀息到虞国去借路，说："从前冀国不讲道义，由颠軨入侵你们虞国，攻打鄍邑的三面城门。晋国伐冀使冀国受到损伤，完全是为了给君王复仇的缘故。如今虢国也不讲道义，在客舍修筑堡垒，以侵占我国的南部边境。谨请求贵国借我们一条进兵之路，以便前往虢国兴师问罪。"虞公答应了，并且请求自己先行攻打虢国。宫之奇劝谏，虞公不接受，便出兵伐虢。夏天，晋国的里克、荀息率兵会合虞军共同攻打虢国，灭了虢邑下阳。……

(五年秋)晋献公再次向虞国借路去攻打虢国。宫之奇劝谏，说："虢国是虞国的外围，假如虢国灭亡，虞国也必然跟着灭亡。晋国的野心不能启发，外国的军队不可疏忽。一次借路已经有些过分，难道还可以借第二次吗？俗话讲的'辅和车互相依存，嘴唇没有了，牙床就会受到寒冷'，说的就是虞国和虢国的关系。"虞公说："晋国是我的同宗，难道还会害我吗？”宫之奇回答说：“太伯、虞仲，是周太王的儿子，太伯不跟随在侧，所以没有嗣位。虢仲、虢叔，是王季的儿子，他们都做过文王的卿士，对王室有功绩，受勋的记录藏在盟府中。如今晋国将要灭掉虢国，对虞国又怎么会爱惜呢？况且，虞国跟晋国的关系能比桓叔、庄伯更为亲近吗？晋国爱惜他们吗？桓叔、庄伯的族人有什么罪过？但却被杀戮。不就是因为他们使晋国感到威胁的缘故吗？亲近的宗族由于受宠而有威胁，尚且杀害了他们，何况我们国家呢？”虞公说：“我祭祀用的祭品丰盛洁净，神灵必定依从我。”宫之奇回答说：“下臣听说，鬼神不亲近任何人，而只依从德行。所以《周书》说：‘上天没有私亲，它只帮助有德行的人。’又说：‘祭祀的黍稷不芳香，美德才芳香。’又说：‘人们的祭物虽未改变，只有有德行人的祭物才算真正的祭物。’这样说来，没有德行，百姓就不和顺，神灵也就不愿享用了。神灵所凭依的，就在于德行。假如晋国取得了虞国，而发扬美德作为芳香的祭物去供奉神灵，神灵难道会吐出来吗？”虞公不听，答应了晋侯使者的要求。宫之奇带领着他的家族出走，说：“虞国今年举行不了岁终大祭了！成功就在这一次，晋国不用再另外出兵了。”……

冬季，十二月丙子日初一，晋国灭掉虢国。虢公丑逃奔到京城。晋军返回，驻扎在虞国，乘机袭击虞国，灭掉了它。俘虏了虞公和大夫井伯，将其作为秦穆姬的陪嫁随从。从此晋国代替虞国进行祭祀，并且把虞国的职役和贡赋奉献给周王室。

骊姬之乱

(僖公四年—六年)

【原文】

初，晋献公欲以骊姬为夫人，卜之，不吉；筮之[①]，吉。公曰："从筮。"卜人曰："筮短龟长，不如从长。且其繇[②]曰：'专之渝，攘公之羭[③]。一薰一莸，十年尚犹有臭。'必不可！"弗听，立之。生奚齐，其娣生卓子。

及将立奚齐，既与中大夫成谋。姬谓大子曰："君梦齐姜，必速祭之。"大子祭于曲沃，归胙于公。公田，姬置诸宫六日。公至，毒而献之。公祭之地，地坟[④]；与犬，犬毙；与小臣，小臣亦毙。姬泣曰："贼由大子。"大子奔新城[⑤]。公杀其傅杜原款。或谓大子："子辞，君必辩焉。"大子曰："君非姬氏，居不安，食不饱。我辞，姬必有罪。君老矣，吾又不乐。"曰："子其行乎？"大子曰："君实不察其罪。被此名也以出，人谁纳我？"十二月戊申，缢于新城。姬遂谮二公子曰："皆知之。"重耳奔蒲，夷吾[⑥]奔屈。……

（五年春）初，晋侯使士蒍为二公子筑蒲与屈，不慎，置薪焉[⑦]。夷吾诉之。公使让之，士蒍稽首而对曰："臣闻之：'无丧而戚，忧必雠焉；

无戎而城，雠必保焉。’寇雠之保，又何慎焉？守官废命，不敬；固雠之保，不忠。失忠与敬，何以事君？《诗》云[8]：‘怀德惟宁，宗子惟城。’君其修德而固宗子，何城如之？三年将寻师焉，焉用慎？”退而赋，曰：“狐裘龙茸，一国三公，吾谁适从？”

及难，公使寺人披伐蒲。重耳曰：“君父之命不校。”乃徇[9]曰：“校者，吾雠也。”逾垣而走，披斩其袪[10]。遂出奔翟。……

（六年）春，晋侯使贾华伐屈。夷吾不能守，盟而行。将奔狄，郤芮曰：“后出同走，罪也，不如之梁。梁近秦而幸焉。”乃之梁。

【注释】

①卜、筮：卜用龟，筮用蓍，是古人预测吉凶的两种迷信方法。以卜为先，即所谓龟长筮短，卜灵于筮也。

②繇：音 zhòu，卜卦之兆辞。

③攘公之羭：羭，音 yú，公羊，此暗指太子申生。攘，盗也，夺也。

④地坟：地上的土突起如坟。坟，土堆。

⑤新城：即曲沃，在今山西闻喜县东北。

⑥重耳、夷吾：均为晋献公庶子，重耳为大戎狐姬生，夷吾为小戎子生。后重耳继位为晋文公，夷吾先于重耳继位为晋惠公。

⑦不慎，置薪焉：不谨慎在修筑城墙时掺进了柴草。为什么城墙没修筑结实，以下有士蔿身处两难的解释。

⑧《诗》云：《诗经·大雅·板》句。

⑨徇：遍告众人。

⑩袪：袖口。

【译文】

早年，晋献公想立骊姬为夫人，占卜，不吉利；占筮，吉利。献公说："按占筮的结果办吧。"卜人说："按通常惯例，占筮常不灵验，占卜常常灵验，不如依照灵验的。况且它的兆辞说：'专宠会发生变乱，将要偷走您的公羊。香草和臭草放在一起，十年以后还会有臭气。'一定不能按照占筮的结果去做！"晋献公不听，立了骊姬。骊姬生下奚齐，她的妹妹生了卓子。

等到准备立奚齐为太子时，骊姬已经和中大夫定下了计谋。骊姬对太子申生说："国君梦见了你母后齐姜，你一定要赶快去祭祀她。"太子到曲沃去祭祀，把祭肉带回给献公。当时献公正在外面打猎，骊姬把祭肉放在宫里六天。献公回来后，骊姬在肉中放上毒药献了上去。晋献公将肉祭地，地立即突起了土堆；把肉给狗吃，狗当场死掉；给侍臣吃，侍臣也死了。骊姬哭着说："阴谋是从太子那里来的。"太子逃往新城，晋献公杀了他的老师杜原款。有人对太子说："您如果申辩其事，国君是一定会弄明白真相的。”太子说：“国君没有骊姬，就睡不安，吃不好。我如果辩解，骊姬必定有罪。国君年事已高，骊姬有罪，他会陷于痛苦，我也不可能高兴的。”那人说：“那么你将逃走吗？”太子说：“国君既然没能明察我无罪，带着这个杀父的恶名出去，别人谁会接纳我？”十二月戊申日，太子在新城自尽。骊姬又诬陷另外两位公子说：“他们也都参与了太子的阴谋。”于是重耳逃往蒲城，夷吾逃往屈邑。……

(五年春) 当初，晋献公派士芀替二位公子在蒲和屈两邑筑城，不小心，墙里掺进了柴草。夷吾向晋献公报告了这件事。献公派人责备士芀，士芀叩头回答说：“臣听说过：‘没有丧事而悲伤，忧愁就会随之而来。没有战事而筑城，敌人必然会藉以守卫。’敌人将要占据的地方，又有什么值得谨慎的呢？身在官位，而不接受筑城的命令，这是对君的不敬；如果为仇敌修筑了坚固的城池，供其守卫，这是对国家的不忠。失去忠和敬，用什么来侍奉国君呢？《诗》说：‘心怀德行就是安宁，同宗子弟就是城池。’君王如果凭借修养德行而使公子们的地位得以巩固，哪个城池能比得上？三年以后就要用兵了，哪里用得着谨慎呢？”士芀退出去作诗说：“狐皮袍子杂乱而蓬松，一个国家有三位主人，我该跟着谁才好呢？”

等到太子申生被杀害的祸难发生之后，晋献公派遣寺人披攻打蒲城。重耳说：“国君和父亲的命令不能对抗。”于是下命令说：“谁抵抗君父的军队，谁就是我的敌人。”重耳跳墙正要逃跑，寺人披砍断了他的衣袖。重耳便逃亡到翟国。……

(六年) 春季，晋侯派大夫贾华领兵攻打屈邑。夷吾守不住，和屈城百姓订立盟约而后出走。准备逃亡到狄，晋大夫郤芮说：“您在重耳之后出走，又是去同一个狄国，这就说明您有跟重耳同谋的罪过。不如前往梁国，梁国接近秦国而且得到秦国的信任。”于是夷吾就到了梁国。

六鹢退飞过宋都

（僖公十六年）

【原文】

（十六年）春，陨石于宋五，陨星也。

六鹢[1]退飞，过宋都，风也。周内史叔兴聘于宋，宋襄公问焉，曰："是何祥也？吉凶焉在？"对曰："今兹鲁多大丧，明年齐有乱，君将得诸侯而不终。"退而告人曰："君失问。是阴阳之事，非吉凶所生也。吉凶由人。吾不敢逆君故也。"

【注释】

①鹢：音 yì，一种水鸟，能高飞，形似鸬鹚而色白。

【译文】

（十六年）春天，在宋国上空落下五块石头，这是坠落的流星。

六只鹢鸟向后倒着飞，经过宋国国都，这是由于风太大的缘故。周朝内史叔兴到宋国聘问时，宋襄公询问这两件事，说："这是什么预兆？是主吉还是主凶呢？"叔兴回答说："今年鲁国大概有大的丧事，明年齐国有动乱，君王将得到诸侯的拥护，却不能保持到最后。"他退下来告诉别人说："宋君问事不恰当。这是属于阴阳方面的事情，人事吉凶与此没有什么关系，吉凶是由人的行为决定的。我这样回答，是由于不敢违抗国君的缘故啊。"

泓之战

(僖公二十二年—二十三年)

【原文】

三月，郑伯如楚。夏，宋公伐郑[①]。……

楚人伐宋以救郑。宋公将战，大司马固谏，曰：“天之弃商[②]久矣，君将兴之，弗可赦也已。”弗听。

冬十一月己巳，朔，宋公及楚人战于泓[③]。宋人既成列，楚人未既济。司马曰：“彼众我寡，及其未既济也，请击之。”公曰：“不可。”既济而未成列，又以告。公曰：“未可。”既陈而后击之，宋师败绩。公伤股，门官歼焉。

国人皆咎公。公曰：“君子不重伤，不禽二毛[④]。古之为军也，不以阻隘也。寡人虽亡国之余，不鼓不成列。”子鱼曰：“君未知战。勍[⑤]敌

之人，隘而不列，天赞我也。阻而鼓之，不亦可乎？犹有惧焉。且今之勍者，皆吾敌也。虽及胡耇[⑥]，获则取之，何有于二毛？明耻教战，求杀敌也，伤未及死，如何勿重？若爱重伤，则如勿伤；爱其二毛，则如服焉。三军[⑦]以利用也，金鼓以声气也。利而用之，阻隘可也；声盛致志，鼓儳[⑧]可也。”……

（二十三年）夏五月，宋襄公卒，伤于泓故也。

【注释】

①宋公伐郑：僖公二十一年，宋襄公曾与诸侯会盟于孟，楚成王认为宋没有资格会盟诸侯，捉拿了宋襄公并攻打了宋国。郑国亲楚朝拜，故宋襄公伐郑。

②商：商即宋，宋国公族是商朝王族微子启的后裔。

③泓：水名，故道约在今河南柘城县西北。

④二毛：黑发白发相间的老者。

⑤勍：音 qíng，强也。

⑥胡耇：胡，寿。耇，音 gǒu，老也。

⑦三军：军是春秋时军队编制的最高单位，大国一般设三军，分上中下或左中右，中军为其主力。

⑧鼓儳：儳，音 chán，行列杂乱。鼓儳即因其未成列，鸣鼓而攻击之。

【译文】

三月，郑伯到楚国去访问。夏天，宋襄公讨伐郑国。……

楚人攻打宋国，目的是为了救援郑国。宋襄公准备迎战，大司马子鱼进谏说:“上天遗弃我们这个国家已经很久了,君王企图复兴它,违反上天意愿的罪过是不可赦免的。”宋襄公不听。

冬季,十一月己巳,朔日,宋襄公在泓水边上同楚人交战。宋国军队已经摆好阵势,楚国军队还没有全部渡过泓水。大司马说:“楚军兵力众多,我军人少,请君王趁他们还没有完全渡河的时候,下令进攻他们。”宋襄公说:“不可以。”楚军全部渡了河还没有摆开阵势的时候,大司马又建议立即发动攻击。宋襄公说:“还不行。”一直等到楚军已经摆好阵势,才下令开战。结果宋军被打得大败,宋襄公腿部受了伤,护卫国君的门官全部阵亡。

国中的人都责备宋襄公。宋襄公说:“君子不攻打已经受伤的人,不捉拿头发斑白的老人。古代作战,不在地势险要的地方阻击敌人。我虽是商朝亡国的后代,但不进攻阵势没有摆好的敌军。”子鱼说:“君王不懂得战法。敌人在险要的地方无法布阵,这是上天在帮助我军。趁机将他们堵截加以攻击,不是可以的吗?即使如此,我们还害怕不能取胜呢。更何况现在面临的是强大的对手,都是我们的敌人啊。即便是老年人,俘获了就抓回来,何必考虑他的头发是否花白呢!让军队懂得什么是耻辱,训练他们作战的方法,目的就是为了杀敌。敌人受了伤而没有死,为什么不可以再伤害他一次?若可怜敌人的受伤人员而不去再次伤害,那么一开始就应当不伤害他;可惜敌人中头发花白的老人,那就应当向他们屈服。三军将士,有利的时候就加以利用;鸣金击鼓,是用声音来鼓舞士气。出现有利的时机,而加以利用,在险要的地方进行攻击是可以的;战鼓的声音大而士气高昂,趁着敌人没有摆开阵势而加以攻击也是可以的。”……

(二十三年)夏季五月,宋襄公死了。这是因为他在泓之战时受了伤造成的。

重耳出亡

（僖公二十三年—二十四年）

【原文】

晋公子重耳之及于难[1]也，晋人伐诸蒲城。蒲城人欲战，重耳不可，曰：“保君父之命而享其生禄，于是乎得人。有人而校，罪莫大焉！吾其奔也。”遂奔狄。从者狐偃、赵衰、颠颉、魏武子、司空季子。

狄人伐廧咎如，获其二女叔隗、季隗，纳诸公子。公子取季隗，生伯儵、叔刘。以叔隗妻赵衰，生盾。将适齐，谓季隗曰：“待我二十五年，不来而后嫁。”对曰：“我二十五年矣，又如是而嫁，则就木焉。请待子。”处狄十二年而行。

过卫，卫文公不礼焉。出于五鹿，乞食于野人，野人与之块。公子怒，欲鞭之。子犯[2]曰：“天赐也。”稽首，受而载之。

及齐，齐桓公妻之，有马二十乘。公子安之，从者以为不可。将行，谋于桑下。蚕妾在其上，以告姜氏。姜氏杀之[3]，而谓公子曰：“子有四方之志，其闻之者，吾杀之矣。”公子曰：“无之。”姜曰：“行也！怀与安，实败名。”公子不可。姜与子犯谋，醉而遣之。醒，以戈逐子犯。

及曹，曹共公闻其骈胁[4]，欲观其裸。浴，薄而观之。僖负羁之妻曰："吾观晋公子之从者，皆足以相国。若以相，夫子必反其国。反其国，必得志于诸侯。得志于诸侯而诛无礼，曹其首也。子盍蚤自贰[5]焉！"乃馈盘飧，置璧焉。公子受飧反璧。

及宋，宋襄公赠之以马二十乘。

及郑，郑文公亦不礼焉。叔詹谏曰："臣闻天之所启，人弗及也。晋公子有三焉，天其或者将建诸，君其礼焉。男女同姓，其生不蕃。晋公子，姬出也，而至于今，一也。离外之患[6]，而天不靖晋国，殆将启之，二也。有三士，足以上人，而从之，三也。晋、郑同侪，其过子弟固将礼焉，况天之所启乎！"弗听。

及楚，楚子飨之，曰："公子若反晋国，则何以报不谷？"对曰："子女玉帛，则君有之，羽毛齿革，则君地生焉。其波及晋国者，君之馀也。其何以报君？"曰："虽然，何以报我？"对曰："若以君之灵，得反晋国，晋、楚治兵[7]，遇于中原，其辟君三舍[8]。若不获命，其左执鞭弭，右属櫜鞬，以与君周旋。"子玉请杀之，楚子曰："晋公子广而俭，文而有礼。其从者肃而宽，忠而能力。晋侯无亲，外内恶之。吾闻姬姓，唐叔之后，其后衰者也，其将由晋公子乎！天将兴之，谁能废之？违天，必有大咎。"乃送诸秦。

秦伯纳女五人，怀嬴与焉。奉匜沃盥，既而挥之。怒，曰："秦、晋，匹也，何以卑我？"公子惧，降服而囚。

他日，公享之。子犯曰："吾不如衰之文也，请使衰从。"公子赋《河水》，公赋《六月》。赵衰曰："重耳拜赐！"公子降，拜，稽首，公降一级而辞焉。赵衰曰："君称所以佐天子者命重耳，重耳敢不拜？"

二十四年春，王正月，秦伯纳之。……及河，子犯以璧授公子曰："臣负羁绁[9]从君巡于天下，臣之罪甚多矣。臣犹知之，而况君乎？请由此亡。"公子曰："所不与舅氏同心者，有如白水。"投其璧于河。

济河，围令狐，入桑泉，取臼衰。二月甲午，晋师军于庐柳。秦伯使公子絷如晋师，师退，军于郇。辛丑，狐偃及秦、晋之大夫盟于郇。壬寅，公子入于晋师。丙午，入于曲沃。丁未，朝于武宫[10]。戊申，使杀怀公于高梁。……

吕、郤[11]畏逼，将焚公宫而弑晋侯。寺人披请见，公使让之，且辞焉，曰："蒲城之役，君命一宿，女即至。其后余从狄君以田渭滨，女为惠公来求杀余，命女三宿，女中宿至。虽有君命，何其速也。夫祛犹在，女其行乎！"对曰："臣谓君之入也，其知之矣。若犹未也，又将及难。君命无二，古之制也。除君之恶，唯力是

视，蒲人、狄人，余何有焉。今君即位，其无蒲、狄乎？齐桓公置射钩而使管仲相。君若易之，何辱命焉？行者甚众，岂唯刑臣？”公见之，以难告。三月，晋侯潜会秦伯于王城。己丑晦，公宫火。瑕甥、郤芮不获公，乃如河上，秦伯诱而杀之。晋侯逆夫人嬴氏以归。秦伯送卫于晋三千人，实纪纲之仆。

初，晋侯之竖头须[12]，守藏者也。其出也，窃藏以逃，尽用以求纳之。及入，求见，公辞焉以沐。谓仆人曰：“沐则心覆，心覆则图反，宜吾不得见也。居者为社稷之守，行者为羁绁之仆，其亦可也，何必罪居者？国君而雠匹夫，惧者其众矣。”仆人以告，公遽[13]见之。

狄人归季隗于晋，而请其二子。文公妻赵衰，生原同、屏括、楼婴。赵姬请逆盾与其母，子余辞。姬曰：“得宠而忘旧，何以使人？必逆之。”固请，许之。来，以盾为才，固请于公，以为嫡子，而使其三子下之。以叔隗为内子，而已下之。

晋侯赏从亡者，介之推[14]不言禄，禄亦弗及。推曰："献公之子九人，唯君在矣。惠、怀无亲，外内弃之。天未绝晋，必将有主。主晋祀者，非君而谁？天实置之，而二三子以为己力，不亦诬乎？窃人之财，犹谓之盗，况贪天之功以为己力乎？下义其罪，上赏其奸，上下相蒙，难与处矣。"其母曰："盍亦求之？以死，谁怼？"对曰："尤而效之，罪又甚焉。且出怨言，不食其食。"其母曰："亦使知之，若何？"对曰："言，身之文也，身将隐，焉用文之？是求显也。"其母曰："能如是乎？与女偕隐。"遂隐而死。晋侯求之不获。以绵上[15]为之田，曰："以志吾过，且旌善人。"

【注释】

①及于难：指骊姬之乱，晋献公伐蒲，事见僖公四年、五年。

②子犯：即重耳之舅父狐偃，又称咎犯。

③姜氏杀之：姜氏，重耳妻。怕齐侯知道重耳要去，杀蚕妾以灭口。

④骈胁：骈音 pián，连合。骈胁，腋下肋骨连在一起。

⑤盍蚤自贰：盍，何不。蚤同"早"。自贰，让自己与别人不同。

⑥离外之患：离同"罹"，外指逃亡外国。

⑦晋、楚治兵：治兵，演练兵马，此处为外交辞令，实指两国交战。

⑧三舍：舍，三十里。古代行军，日行三十里，三舍即九十里。

⑨负羁绁:羁,马笼头;绁,马缰绳。负羁绁即作为仆役随从奔走。
⑩武宫:曲沃晋武公之庙。晋侯每即位,必朝之。
⑪吕、郤:吕甥、郤芮,均系晋怀公的亲信大臣。
⑫竖头须:竖,未成年的童仆。头须,人名。
⑬遽:音丩,急忙。
⑭介之推:又名介子推,从重耳出亡,曾割股以食文公。
⑮绵上:介之推所隐处,在今山西介休东南。

【译文】

晋公子重耳遭受祸难的时候,晋国派兵到蒲城去攻打他。蒲城人想要迎战,他不答应,说:"依靠着国君父亲的命令而享有养生的俸禄,因此才得到百姓的拥护。有了百姓的拥护却去对抗父君,没有比这罪过更大的了!我还是逃奔吧。"于是就逃到狄国。跟随的有狐偃、赵衰、颠颉、魏武子、司空季子。

狄人攻打廧咎如时,俘虏了他的两个女儿叔隗、季隗,把她们送给了重耳。重耳娶了季隗,生下伯儵、叔刘。把叔隗送给赵衰做妻子,生下赵盾。重耳准备到齐国去,对季隗说:"等我二十五年,不回来你再改嫁。"季隗回答说:"我已经二十五岁了,再过二十五年重新嫁人,那时就快进棺材了。我等着您。"重耳在狄住了十二年之后离去。

重耳路过卫国,卫文公不以礼相待。从五鹿经过时,向乡下人讨饭吃,乡下人给了他一块泥土。重耳很生气,想鞭打那人。子犯说:"这是上天的赐予啊!"重耳叩头道谢,接过土块放在车上带走。

重耳到达齐国,齐桓公为他娶妻,送他八十匹马。重耳安于齐国的生活,跟随的人认为这样不行。准备出发前,他们聚集在桑树下面商量。恰好有个采桑女子在树上采桑,听到了,把这件事告诉了姜氏。

姜氏怕走漏消息就杀了采桑女。然后告诉重耳说:“您有远大的志向,听到你们打算出走的人,已经被我杀掉了。”公子说:“没有这回事。”姜氏说:“走吧!留恋妻室和贪图安逸,实在败坏您的名声。”公子不肯离开。姜氏同子犯商量,用酒灌醉后,把他送走。重耳酒醒,气得拿着戈追逐子犯。

到达曹国,曹共公听说晋公子的肋骨是连成一片的,因此想看看真相。趁重耳洗澡的时候,隔着帘子从外面偷看。曹大夫僖负羁的妻子说:“我看晋公子的随从们,都足以辅佐国家。如果有他们辅佐,晋公子必定能回晋国做国君。回到了晋国,一定能在诸侯中称雄。到那时惩罚以前对他无礼的国家,曹国就会排在前面。您何不趁早向他表示表示自己的敬意呢!”于是僖负羁就向晋公子馈赠一盘食品,里面藏着一块玉璧。公子收下食品,退回了玉璧。

到达宋国,宋襄公送给他八十匹马。

到达郑国,郑文公也不以礼相待。大夫叔詹劝谏说:“臣听说上天所赞助的,人是不能左右的。晋公子有三条吉兆,上天或许将要立他为国君吧,君主还是以礼相待为好。凡是父母同姓,子孙必然不会昌盛。晋公子是姬姓女子所生,却能活到今天,这是一。晋公子遭受陷害而亡命在外,可是上天却一直不让晋国安定,也许是将要帮助他重返晋国了,这是二。有三个人才干足以居于他人之上,却一直跟随着他,这是三。晋国和郑国地位平等,他们的子弟路过咱们这里,就应该以礼相待,何况是上天所赞助的人呢!”郑文公不听。

重耳到达楚国,楚成王设享礼款待他,说:“公子如果返回晋国,将拿什么来报答我呀?”重耳回答说:“子、女、玉、帛,那是君王所拥有的;鸟羽、皮毛、象牙、犀革,那是君王土地上生长出来的。散及到晋国的,已经是君王的剩余之物了。我能用什么来报答您呢?”楚成王说:

"尽管是这样,那究竟用什么来报答我呢?"重耳回答说:"假如托君王的福,回到晋国,以后晋楚两国演兵习武,在中原相遇,那我们就后退九十里。这样如果还得不到君王的谅解,那就左手拿着鞭子和弓,右手挎着箭袋和弓囊,同君王较量一番。"子玉请求楚王杀掉他。楚成王说:"晋公子志向远大而生活俭朴,言谈举止文雅而合乎礼仪。他的随从严肃而宽厚,忠贞而又有能力。如今晋惠公没有亲人,国外诸侯和国内臣民都讨厌他。我听说姬姓是唐叔的后代,将会最后衰亡,这很可能是晋公子要为国君的缘故吧!上天将帮助他兴起,谁能废掉他?违反天意,必定会有大的灾难。"于是就把他送往秦国。

秦穆公送给重耳五个女子,怀嬴是其中的一个。有一次怀嬴捧着盛水器皿伺候重耳盥洗,他洗完了不擦干,却无礼地把手上的水甩掉。怀嬴很恼火,说:"秦晋两国地位相等,为什么轻视我?"公子害怕了,脱去上衣把自己囚拘起来,以表谢罪。

有一天,秦穆公设宴款待他。子犯说:"我不像赵衰那样长于文辞,请您让赵衰随行赴宴吧。"席间,重耳诵读《河水》这首诗,秦穆公诵读《六月》这首诗。赵衰说:"重耳,请拜谢恩赐!"公子走下台阶,跪拜,叩头,秦穆公走下一个台阶施礼辞谢。赵衰说:"君王托付给你辅助天子的使命,重耳哪敢不拜?"

二十四年春,周历正月。秦穆公把公子重耳送回晋国。……到达黄河岸边,子犯把玉璧还给公子,说:"下臣背着马笼头牵马缰绳跟您在天下巡行,下臣的罪过很多啊。下臣自己尚且知道,何况您呢?请您让我从这里走开吧。"公子说:"如果我不和舅父一条心,有河神作证。"把他的玉璧扔到黄河里去了。

重耳等一行渡过黄河,包围了令狐,进入桑泉,占取了白衰。二月的一天,晋国的军队驻扎在庐柳。秦穆公派遣公子絷到晋国军队里陈说利害。晋军退走，驻扎在郇地。辛丑那天，狐偃和秦国、晋国的大夫在郇地结盟。壬寅那天，公子重耳到达晋国的军队里。丙午那天，重耳进入曲沃。丁未那天，重耳在晋武公的庙宇中朝见群臣。戊申那天，重耳派人在高梁杀死了晋怀公。……

吕、郤两家害怕祸难逼近，准备焚烧宫室而杀死晋文公。寺人披请求进见。晋文公派人责备他，而且拒绝接见，说："蒲城攻打我那一次，国君命令你过一个晚上到达，你立刻就到了。后来我跟随狄君在渭水边上打猎，你为惠公来杀我，惠公命令你过三个晚上到达，你过两个晚上就到了。虽然有国君的命令，为什么要那么快呢？那只被割断的袖子还在，你还是走开吧！"寺人披回答说："小臣原来认为国君回国以后，已经了解情况了。如果还没有，就会又一次遇到祸难。执行国君的命令只有一心一意，这是古代的制度。除去国君所厌恶的人，自己有多大力量就要使多大力量。蒲人、狄人，对我来说算什么呢！现在您即位做国君，也会同我心目中一样没有蒲、狄吧？齐桓公把射钩的事放在一边，而让管仲辅佐他。君王如果改变这种做法，我会自己走的，哪里需要君王的命令呢？离开的人会很多的，岂独是我这个受过宫刑的小臣？"晋文公接见了寺人披，寺人披就把将要发生的祸乱告诉了晋文公。三月，晋文公秘密地和秦穆公在王城会见。三十日，文公的宫殿起火。瑕甥、郤芮找不到晋文公，于是就到黄河边上去找，秦穆公把他们诱去杀死了。晋文公迎接夫人嬴氏回国。秦穆公赠送给晋国卫士三千人，都是一些得力的臣仆。

当初，晋文公有个侍臣名叫头须，是管理财物的。当晋文公在国外的时候，头须偷了财物潜逃，把这些财物都用在设法让晋文公回国上面。等到晋文公回来，头须请求进见。晋文公推托说正在洗头。头须对仆人说："洗头的时候心倒过来，心倒了意图就反过来，无怪我不能被接见了。留在国内的人是国家的守卫者,跟随在外的是背马笼头牵马缰绳的仆人,这都是可以的啊,何必要归罪于留在国内的人?身为国君而仇视普通的人,害怕的人就多了。”仆人把这些话告诉晋文公,晋文公立即接见了他。

狄人把季隗送回晋国,而请求留下她的两个儿子。晋文公把女儿嫁给赵衰,生了原同、屏括、楼婴。赵姬请求迎接留在狄的盾和他的母亲,赵衰辞谢不肯。赵姬说:“得到新宠而忘记旧好,以后还怎么使用别人?一定要把他们接回来。”态度很坚决,赵衰同意了。回来以后,赵姬认为赵盾有才,坚决向赵衰请求,把赵盾作为嫡子,而让她自己生的三个儿子居于赵盾之下。让叔隗作为正妻,而自己居于她之下。

晋文公赏赐跟随他出亡的人,介之推没有提及禄位,禄位也没有给他。介之推说:“献公的儿子有九个,只有国君在世了。惠公、怀公没有亲近的人,国内国外都抛弃了他们。上天不使晋国绝后,必定会有君主。主持晋国祭祀的人,不是晋文公又会是谁?这实在是上天要安置他做国君,而他们这些人却以为是自己的力量,这不是欺骗吗?偷别人的财物,尚且叫作盗,何况贪天之功以为是自己的力量呢?下面的人把贪功的罪过当成合理,上面的人对欺骗加以赏赐,上下相互蒙骗,难以和他们相处啊。”介之推的母亲说:“为什么不也去求赏?这样死了,又能怨谁?”介之推回答说:“明知错误而去效法,错误就更大了。而且我口出怨言,不能吃他的俸禄。”他母亲说:“也让他知道一下,怎么样?”介之推回答说:“说话,是身体的文饰。身体将要隐藏,哪里用得着文饰?这只不过是去求显露罢了。”他母亲说:“你能够这样吗?我和你一起隐居起来。”于是就隐居而死。晋文公派人到处找寻他没有找到,就把绵上的田地封给他,说:“用这来记载我的过失,而且表彰好人。”

城濮之战

（僖公二十七年—二十八年）

【原文】

楚子将围宋[1]，使子文治兵于睽，终朝而毕，不戮一人。子玉复治兵于蒍，终日而毕，鞭七人，贯三人耳。国老皆贺子文，子文饮之酒。蒍贾尚幼，后至，不贺。子文问之，对曰："不知所贺。子之传政于子玉，曰：'以靖国也。'靖诸内而败诸外，所获几何？子玉之败，子之举也。举以败国，将何贺焉？子玉刚而无礼，不可以治民。过三百乘[2]，其不能以入矣。苟入而贺，何后之有？"

冬，楚子及诸侯围宋，宋公孙固如晋告急。先轸曰："报施救患，取威定霸，于是乎在矣。"狐偃曰："楚始得曹而新昏于卫，若伐曹、卫，楚必救之，则齐、宋免矣[3]。"于是乎蒐于被庐，作三军，谋元帅。赵衰曰："郤縠可。臣亟闻其言矣，说礼乐而敦《诗》、《书》。《诗》、《书》，义之府也。礼、乐，德之则也。德、义，利之本也。《夏书》曰[4]：'赋纳以言，明试以功，车服以庸。'君其试之。"及使郤縠将中军，郤溱佐之；使狐偃将上军，让于狐毛，而佐之；命赵衰为卿，让于栾枝、先轸。使栾枝将下军，先轸佐之。荀林父御戎，魏犨为右。

晋侯始入而教其民，二年，欲用之。子犯曰："民未知义，未安其居。"于是乎出定襄王，入务利民，民怀生矣。将用之。子犯曰："民未知信，未宣其用。"于是乎伐原以示之信。民易资者，不求丰焉，明征其辞[5]。公曰："可矣乎？"子犯曰："民未知礼，未生其共。"于是乎大蒐以示之礼，作执秩以正其官。民听不惑，而后用之。出谷戍，释宋围，一战而霸[6]，文之教也。

二十八年春，晋侯将伐曹，假道于卫，卫人弗许。还，自南河济。侵曹，伐卫。正月戊申，取五鹿。二月，晋郤縠卒。原轸将中军，胥臣佐下军，上德也。晋侯、齐侯盟于敛盂。卫侯请盟，晋人弗许。卫侯欲与楚，国人不欲，故出其君以说于晋。卫侯出居于襄牛。

公子买戍卫，楚人救卫，不克。公惧于晋，杀子丛[7]以说焉。谓楚人曰："不卒戍也。"

晋侯围曹，门焉，多死，曹人尸诸城上，晋侯患之。听舆人之谋，称"舍于墓"[8]。师迁焉，曹人凶惧，为其所得者棺而出之，因其凶也而攻之。三月丙午，入曹。数之，以其不用僖负羁而乘轩者三百人也。且曰"献状"[9]。令无入僖负羁之宫而免其族，报施也。魏犨、颠颉怒曰："劳之不图，报于何有！"爇僖负羁氏。魏犨伤于胸，公欲杀之，而爱其材。使问，且视之。病，将杀之。魏犨束胸见使者，曰：“以君之灵，不有宁也。”距跃三百，曲踊三百[10]。乃舍之。杀颠颉以徇于师，立舟之侨以为戎右。

宋人使门尹般如晋师告急。公曰：“宋人告急，舍之则绝，告楚不许。我欲战矣，齐、秦未可，若之何？”先轸曰：“使宋舍我而赂齐、秦，藉之告楚。我执曹君，而分曹、卫之田以赐宋人。楚爱曹、卫，必不许也。喜赂怒顽，能无战乎？”公说，执曹伯，分曹、卫之田以畀宋人。

楚子入居于申，使申叔去谷，使子玉去宋，曰：“无从晋师！晋侯在外十九年矣，而果得晋国。险阻艰难，备尝之矣；民之情伪，尽知之矣。天假之年，而除其害。天之所置，其可废乎？《军志》[11]曰：‘允当则归。’又曰：‘知难而退。’又曰：‘有德不可敌。’此三志者，晋之谓矣。”子玉

使伯棼请战，曰："非敢必有功也，愿以间执谗慝之口。"王怒，少与之师，唯西广、东宫与若敖之六卒实从之。

子玉使宛春告于晋师曰："请复卫侯而封曹，臣亦释宋之围。"子犯曰："子玉无礼哉！君取一，臣取二，不可失矣。"先轸曰："子与之。定人之谓礼，楚一言而定三国，我一言而亡之。我则无礼，何以战乎？不许楚言，是弃宋也。救而弃之，谓诸侯何？楚有三施，我有三怨，怨仇已多，将何以战？不如私许复曹、卫以携之，执宛春以怒楚，既战而后图之。"公说，乃拘宛春于卫，且私许复曹、卫。曹、卫告绝于楚。

子玉怒，从晋师[12]。晋师退。军吏曰："以君辟臣，辱也。且楚师老矣，何故退？"子犯曰："师直为壮，曲为老，岂在久乎？微楚之惠不及此，退三舍辟之，所以报也。背惠食言，以亢其仇，我曲楚直，其众素饱，不可谓老。我退而楚还，我将何求？若其不还，君退臣犯，曲在彼矣。"退三舍。楚众欲止，子玉不可。

夏四月戊辰，晋侯、宋公、齐国归父、崔夭、秦小子慭次于城濮[13]。楚师背酅[14]而舍，晋侯患之。听舆人之诵曰："原田每每，舍其旧而新是谋。"公疑焉。子犯曰："战也！战而捷，必得诸侯。若其不捷，表里山河，必无害也。"公曰："若楚惠何？"栾贞子曰："汉阳诸姬，楚实尽之，思小惠而忘大耻，不如战也。”晋侯梦与楚子搏，楚子伏己而盬[15]其脑，是以惧。子犯曰：“吉。我得天，楚伏其罪，吾且柔之矣。”

子玉使斗勃请战，曰：“请与君之士戏，君冯轼而观之，得臣[16]与寓目焉。”晋侯使栾枝对曰：“寡君闻命矣。楚君之惠，未之敢忘，是以在此。为大夫退，其敢当君乎？既不获命矣，敢烦大夫谓二三子：‘戒尔车乘，敬尔君事，诘朝将见。’”

晋车七百乘，韅、靷、鞅、靽[17]。晋侯登有莘之虚[18]以观师，曰：“少长有礼，其可用也。”遂伐其木以益其兵。

己巳，晋师陈于莘北，胥臣以下军之佐当陈、蔡。子玉以若敖之六卒将中军，曰：“今日必无晋矣。”子西将左，子上将右。胥臣蒙马以虎皮，先犯陈、蔡。陈、蔡奔，楚右师溃。狐毛设二旆[19]而退之。栾枝使舆曳柴而伪遁，楚师驰之。原轸、郤溱以中军公族横击之。狐毛、狐偃以上军夹攻子西，楚左师溃。楚师败绩。子玉收其卒而止。故不败。

晋师三日馆谷[20]，及癸酉而还。甲午，至于衡雍，作王宫于践土。

乡役之三月，郑伯如楚致其师，为楚师既败而惧，使子人九行成于晋。晋栾枝入盟郑伯。五月丙午，晋侯及郑伯盟于衡雍。

丁未，献楚俘于王，驷介百乘，徒兵千。郑伯傅王，用平礼也。己酉，王享醴，命晋侯宥。王命尹氏及王子虎、内史叔兴父策命晋侯为侯伯，赐之大辂之服，戎辂[21]之服，彤弓一，彤矢百，玈[22]弓矢千，秬鬯一卣[23]，虎贲三百人，曰："王谓叔父，敬服王命，以绥四国。纠逖王慝[24]。"晋侯三辞，从命。曰："重耳敢再拜稽首，奉扬天子之丕显休命[25]。"受策以出。出入三觐。

卫侯闻楚师败，惧，出奔楚，遂适陈，使元咺奉叔武以受盟。癸亥，王子虎盟诸侯于王庭，要言曰："皆奖王室，无相害也。有渝此盟，明神殛之，俾队其师，无克祚国，及而玄孙，无有老幼。"君子谓是盟也信，谓晋于是役也，能以德攻。

初，楚子玉自为琼弁、玉缨，未之服也。先战，梦河神谓己曰："畀余，余赐女孟诸之麋[26]。"弗致也。大心与子西使荣黄谏，弗听。荣季曰："死而利国，犹或为之，况琼玉乎？是粪土也，而可以济师，将何爱焉？"弗听。出，告二子曰："非神败令尹，令尹其不勤民，实自败也。"既败，王使谓之曰："大夫若入，其若申、息之老何？"子西、孙伯曰："得臣将死，二臣止之曰：'君其将以为戮。'"及连谷而死。晋侯闻之而后喜可知也，曰："莫余毒也已！蔿吕臣[27]实为令尹，奉己而已，不在民矣。"……

城濮之战，晋中军风于泽，亡大旆之左旃。祁瞒奸命，司马杀之，以徇于诸侯，使茅茷代之。师还，壬午，济河。舟之侨先归，士会摄右。秋七月丙申，振旅，恺以入于晋。献俘授馘，饮至大赏，征会讨贰。杀舟之侨以徇于国，民于是大服。

君子谓："文公其能刑矣，三罪而民服。《诗》云[28]：'惠此中国，以绥四方。'不失赏刑之谓也。"

【注释】

①楚子将围宋：重耳出亡时，宋襄公曾赠马二十乘。文公即位，宋以其善叛楚亲晋，僖公二十六年，楚伐宋。

②三百乘：春秋时兵车每乘配备人数，杜预认为是七十五人。三百乘，即二万二千五百人。

③则齐、宋免矣：僖公二十六年，楚使申公叔侯戍谷以逼齐，楚若救曹、卫，则齐、宋之患可免。

④《夏书》曰：此书引见《尚书·尧典》。

⑤明征其辞：明码标价，不求暴利。

⑥一战而霸：指下一年的城濮之战，晋胜楚，此后成为诸侯的霸主。

⑦子丛：鲁大夫公子买之字。

⑧称"舍于墓"：扬言驻扎在墓地，以挖曹人祖坟作为威胁。

⑨且曰"献状"：重耳出亡过曹时，曹共公曾要窥其骈胁，所以现在故意说：我现在将自己的形状献给你们看。

⑩距跃三百，曲踊三百：向前跳、向上跳了许多次，表示伤不重，仍可为君效力。三百，极言其多。

⑪《军志》:古之兵书,今佚。

⑫从晋师:撤宋之围而从晋师。违背了楚成王"无从晋师"的嘱咐。

⑬城濮:卫地,今山东鄄城县临濮集。

⑭酅:音 xī,地名,险要的丘陵地带。

⑮盬:音 gǔ,吮吸吞食之声。

⑯得臣:成得臣,楚令尹,即子玉。

⑰韅、靷、鞅、靽:装备战马的各种皮件,意即晋军装备齐整。

⑱有莘之虚:虚即墟。有莘国的废墟,在今山东曹县西北。

⑲旆:音 pèi,旌旗的飘带,此处指晋之前军。

⑳馆谷:馆,舍;谷,粮食。

㉑大辂、戎辂:辂音 lù,即车。大辂为涂金的车,祭祀时所乘;戎辂即兵车。

㉒玈:音 lú,黑色。

㉓秬鬯一卣:秬,音 jù,黑黍。鬯,音 chàng,香草。卣,音 yǒu,酒器。秬鬯,用以祭神的酒。

㉔纠逖王慝:纠,检举;逖,剔除;慝,音 tè,邪恶。

㉕丕显休命:丕,伟大;显,光明;休,美善;命,命令。

㉖孟诸之麋:孟诸,当时宋国的薮泽。麋,同"湄",水边草地。

㉗蔿吕臣:楚大夫叔伯,继子玉做楚国的令尹。

㉘《诗》云:见《诗经·大雅·民劳》。

【译文】

楚成王准备包围宋国,派子文在睽地演习作战,一早上就完事,没有杀一个人。子玉又在蔿地演习作战,一天才完事,鞭打七个人,用箭穿了三个人的耳朵。元老们都祝贺子文。子文招待他们喝酒。蔿贾年纪小,后来才到,不祝贺。子文问他,他回答说:“不知道祝贺什么。您把政权传给子玉,说:‘为了安定国家。’安定于内而失败于外,所得到的有多少?如果子玉对外作战失败,是由于您的推举。推举而让国家失败,有什么可贺的呢?子玉刚愎无礼,不能让他治理百姓。他率领的兵车如果超过三百辆,恐怕就不能回来了。若回来,再祝贺,也不晚啊!”

冬季,楚成王和诸侯围困宋国,宋国的公孙固到晋国报告紧急情况。先轸说:“报答施舍,解救患难,取得威望,成就霸业,在此一举了。”狐偃说:“楚国刚刚得到曹国,又新近在卫国娶妻,假如攻打曹、卫两国,楚国必定援救,那么齐国和宋国就可以免于被攻打了。”于是晋国就在被庐阅兵,建立三个军,商量元帅的人选。赵衰说:“郤縠行。我屡次听到他的话,喜爱礼乐而重视《诗》、《书》。《诗》、《书》,是道义的府库;礼乐,是德行的法则;道德礼义,是利益的根本。《夏书》说:‘有益的话要全部采纳,考察效果加以试验,如果成功了,用车马衣服作为酬劳。’您不妨试一下。”于是晋国就委派郤縠率领中军,郤溱辅助他。委派狐偃率领上军,狐偃让给狐毛而自己辅助他。任命赵衰为卿,赵衰让给栾枝、先轸。命栾枝率领下军,先轸辅助他。荀林父驾御战车,魏犨作为车右。

晋文公一回国,就训练百姓,过了两年,就想使用他们。子犯说:“老百姓还不懂道义,还没有各安其位。”晋文公就出兵救周,帮助周襄王安定了君位。回国以后致力于便利百姓,百姓就各安于他们的生活了。这时又打算使用他们,子犯说:“百姓还不知道信用,还不能明白信用的作用。”于是就攻打原国来让老百姓看到信用。百姓做买卖不求暴利,明码标价,各无贪鄙。晋文公说:“行了吗?”子犯说:“百姓还不知道礼仪,没有产生恭敬的心理。”于是举行盛大阅兵来让百姓看到

礼仪，建立制度来规定官员的职责。等到老百姓看到事情就能明辨是非，然后才使用他们。赶走谷地驻扎的楚军，解除宋国的包围，一次战争而称霸诸侯，这都是晋文公以文德教民的结果。

二十八年春季，晋文公准备攻打曹国，向卫国借路。卫国不答应。回来，从南河渡过黄河，进攻曹国，攻打卫国。正月初九日，占领了五鹿。二月，郤縠死。原轸率领中军，胥臣辅助下军，把原轸提升，是为了重视才德。晋文公和齐昭公在敛盂结盟。卫成公请求参加盟约，晋国人不答应。卫成公想与楚国结好，国内的人们不愿意，因而赶走了他们的国君，来讨好晋国。卫成公离开国都住到襄牛。

公子买在卫国驻守，楚国人救援卫国，未能取胜。鲁僖公害怕晋国，杀了公子买来讨好晋国。骗楚国人说："他驻守没有到期就想走，所以杀了他。"

晋文公发兵包围曹国，攻打曹国城门，战死的人很多。曹军把晋军的尸体陈列在城上，晋文公很担心。听了兵士们的主意，声称要"在曹国人的墓地上驻扎"。军队转移，曹国人很害怕，把他们得到的晋军尸体装进棺材运出来。晋军由于曹军恐惧而攻城。三月初八日，进入曹国，责备曹国不任用僖负羁，做官坐车的反倒有三百人之多。并且说当年观看自己洗澡，现在罪有应得。下令不许进入僖负羁的家里，同时赦免他的族人，这是为了报答恩惠。魏犨、颠颉发怒说："不为有功劳苦劳的人着想，还报答什么恩惠？"放火烧了僖负羁的家。魏犨胸部受了伤，晋文公想杀死他，但又爱惜他的才能，叫人去慰问，同时观察病情。如果伤势很重，就准备杀了他。魏犨束紧胸膛出来见使者，说："由于国君的威灵，我没敢得到过安逸呀！"说着就向前跳了很多次，又向上跳了很多次。晋文公于是就饶恕了他，而杀死颠颉通报全军，立舟之侨作为车右。

宋国派门尹般到晋军中报告情况非常危急。晋文公说："宋国来报告危急情况，不去救他便断绝了交往，请楚国解围，他们又不会答应。我们想作战，齐国和秦国又不同意。怎么办呢？"先轸说："让宋国丢开我们而去贿赂齐国、秦国，假借它们两国去请求楚国。我们逮住曹国国君，把曹国、卫国的田地分给宋国。楚国喜欢曹国、卫国，必定不答应齐国和秦国的请求。齐国和秦国喜欢宋国的贿赂而对楚国的固执生气，能不打仗吗？"晋文公很高兴，拘捕了曹共公，把曹国和卫国的田地分给了宋国人。

楚成王进入申城并住下来，让申叔撤离谷地，让子玉离开宋国，说："不要去追逐晋国军队！晋文公在外边，十九年了，而结果得到了晋国。险阻艰难，都尝过了；民情真假，都了解了。上天给予他年寿，同时除去了他的祸害。上天所设置的，难道能改变吗？《军志》上说'适可而止'，又说'知难而退'，又说'有德的人不能抵挡'。这三条记载，适合于晋国啊。"子玉派遣伯棼向成王请战，说："不能说一定有功劳，愿意以此塞住奸邪小人的嘴巴。"楚成王发怒，少给他军队，只有西广、东宫和若敖的一百八十辆战车跟去。

子玉派宛春到晋军中报告说:“请恢复卫侯的君位,同时把土地交还曹国,我也取消对宋国的包围。”子犯说:“子玉无礼啊!给我们君王的,只是解除对宋国的包围一项,而要求君王给他们的,却是复卫封曹两项。这次打仗的机会不可失掉了。”先轸说:“君王要答应他。使别人安定叫作礼,楚国一句话而安定三国,我们一句话而使它们灭亡,我们就无礼,拿什么来作战呢?不答应楚国的请求,就是抛弃宋国;救援了又抛弃它,将对诸侯说什么?楚国有三项恩惠,我们有三项怨仇。怨仇已经多了,拿什么去作战?不如私下里答应恢复曹国和卫国来离间它们,逮了宛春来激怒楚国,等打起仗来再说。”晋文公很高兴,于是把宛春囚禁在卫国,同时私下里允诺恢复曹、卫。曹、卫就与楚国断交。

子玉发怒了,就追击晋军。晋军撤退。军吏说:“以国君而躲避臣下,这是耻辱。而且楚军已经衰疲,为什么撤退?”子犯说:“出兵作战,有理就气壮,无理就气衰,哪里在于出兵时间的长短呢?如果没有楚国的恩惠,我们就到不了这一步。退避三舍,就是作为报答。背弃恩惠而说话不算数,要用这个来庇护它们的敌人,我们理曲了而楚国礼直,再加上他们的士气一向饱满,不能认为是衰疲。我们退走而楚军回去,我们还要求什么?假若他们不回去,国君退走,而臣下进犯,他们就无理了。”晋军退避三舍。楚国军士要停下来,子玉不允许。

夏四月初一日,晋文公、宋成公、齐国的国归父、崔夭、秦国的小子慭驻在城濮。楚军背靠着险要的丘陵地带扎营,晋文公担心这件事。听到兵士们念诵说:“休耕田里的绿草油油,丢掉旧的而对新的加以犁锄。”晋文公心里疑惑。子犯说:“战吧!战而得胜,一定能得到诸侯拥戴;若不胜,我国外有大河,内有高山,一定没有什么害处。”晋文公说:“对楚国的恩惠怎么办?”栾枝说:“汉水以北的姬姓诸国,楚国都把他们吞并完了。想着小恩惠，而忘记大耻大辱，不如出战。”晋文公梦见和楚王搏斗，楚王伏在自己身上吞饮自己的脑浆，因而害怕。子犯说：“吉利。我得到上天，楚国伏罪，而我们已经安抚他们了。”

子玉派遣斗勃向晋国请战，说：“请和君王的斗士做一次角力游戏，君王您靠在车的横板上观看，得臣我可以陪同君王一同观看了。”晋文公派遣栾枝回答说：“我们国君知道您的意思了。楚君的恩惠，没有敢忘记，所以待在这里。以为大夫已经退兵了，臣下难道敢阻挡国君吗？既然大夫不肯退兵，那就麻烦大夫对贵部将士们说：‘驾好你们的战车，忠于你们的国事，明天早晨咱们再见面。’”

晋国战车七百辆，战车战马装备齐全。晋文公登上有莘国的废城观望军容，说：“年少的和年长的，排列有序，合于礼，可以使用了。”于是命令砍伐山上的树木，以增加武器。

初二日，晋军在莘北排开阵势，胥臣让下军分别抵挡陈、蔡两国的军队。子玉用若敖的一百八十辆战车率领中军，说：“今天就一定没有晋国了。”子西率领左军，子上率领右军。胥臣把马蒙上老虎皮，先攻陈、蔡两军。陈、蔡两军奔逃，楚军的右翼部队溃散。狐毛派出前军两队击退楚军的溃兵。栾枝让车子拖着木柴假装逃走，楚军追击。原轸、郤溱率领中军的禁卫军拦腰截击。狐毛、狐偃率领上军夹攻子西，楚国的左翼部队溃散。楚军大败。子玉赶忙收兵停止攻击，仅使他的直属部队得以不败。

晋军休整三天，吃楚军留下的粮食，到初六起程回国。二十七日，到达衡雍，替天子在践土这地方建造了一座王宫。

这一战役之前的三个月，郑文公派军队到楚国助战，因为楚军已经失败而害怕了，派遣子人九和晋国讲和。晋国的栾枝到郑国和郑文公订立盟约。五月初九日，晋文公和郑文公在衡雍结盟。

初十日，晋国把楚国的战俘献给周天子，驷马披甲的战车一百辆，步兵一千人。郑文公作为相礼，用的是周平王时的礼仪。十二日，周天子设享礼用甜酒招待晋文公，也答应晋文公向自己回敬酒。周天子命令尹氏和王子虎、内史叔兴父用策书任命晋文公为诸侯的领袖，赐给他大辂车、戎辂车以及相应的服装仪仗，红色的弓一把、红色的箭一百支，黑色的弓十把和箭一千支，黑黍加香草酿造的酒一卣，勇士三百人，说："天子对叔父说：'恭敬地听从天子的命令，以安抚四方诸侯，惩治王朝的邪恶。'"晋文公辞谢三次，然后接受命令，说："重耳谨再拜叩头，接受和宣扬天子赐予的伟大、光明、美善的命令。"晋文公接受了策书离开成周。自从进入成周到离开成周，晋文公先后朝觐了三次。

卫成公听说楚军战败，害怕了，逃亡到楚国，又到陈国，派遣元咺奉事叔武去接受盟约。二十六日，王子虎和诸侯在天子的庭院里盟誓，约定说："全部辅助王室，不要互相伤害。谁要违背盟约，就要受到神的诛杀，让他的军队颠覆，不能享有国家，直到他的玄孙，不论老小。"君子认为这次结盟是守信用的，认为晋国在这次战役中能够执仗正义来进行攻伐。

当初，楚国的子玉自己制作了镶玉的马冠马鞅，尚未使用。作战之前，梦见黄河河神对他说："送给我吧，我赐给你孟诸的水草地。"子玉不肯送去。他的儿子太心和子西让荣黄劝谏，子玉不听。荣黄说："假如死了有利于国家，还要去做，何况是美玉呢？和国家比起来这不过是粪土而已。如果可以使军队成功，有什么可爱惜的？"子玉仍然不听。荣黄出来告诉两个人说："不是神明让令尹失败，令尹不以百姓的事情为重，实在是自取失败啊。"子玉失败之后，楚成王派使臣对子玉说："申、息的子弟大多伤亡了，大夫如果回来，怎么向申、息两地的父老交代呢？"子西、太心说："子玉打算自杀，我们两个阻拦他说：'先不要自杀，国君还准备杀你呢。'”到达连谷，子玉就自杀了。晋文公听说子玉自杀了，喜形于色，说：“没有谁能害我了！芳吕臣做令尹，不过是奉养自己而已，而不是为了百姓。”……

在城濮的战役中，晋军的中军在沼泽地遇到天刮大风，丢掉了前军左边的大红旗。祁瞒违反了军令，司马把他杀了，并通报诸侯，派茅茷代替他。军队回来，六月十六日，渡过黄河，舟之侨离队先行回国，士会代理车右。秋七月初二，胜利归来，高唱凯歌进入晋国，在太庙报告俘获和杀死敌人的数字，置酒犒赏，召集诸侯会盟和攻打有二心的国家。杀舟之侨并通报全国，百姓因此而大为顺服。

君子认为：“晋文公能够严明刑罚，杀了颠颉、祁瞒、舟之侨三个罪人而使百姓顺服。《诗》中说：‘施惠于中原国家，安定四方的诸侯。’说的就是未失去公正的赏赐和刑罚啊。”

烛之武退秦师

（僖公三十年）

【原文】

九月甲午，晋侯、秦伯围郑，以其无礼于晋[①]，且贰于楚也。晋军函陵[②]，秦军氾[③]南。佚之狐言于郑伯曰："国危矣，若使烛之武见秦君，师必退。"公从之。辞曰："臣之壮也，犹不如人，今老矣，无能为也已。"公曰："吾不能早用子，今急而求子，是寡人之过也。然郑亡，子亦有不利焉。"许之。夜，缒而出[④]。见秦伯，曰："秦、晋围郑，郑既知亡矣。若亡郑而有益于君，敢以烦执事。越国以鄙远，君知其难也，焉用亡郑以陪邻[⑤]？邻之厚，君之薄也。若舍郑以为东道主，行李之往来，共其乏困，君亦无所害。且君尝为晋君赐矣，许君焦、瑕，朝济而夕设版焉[⑥]，君之所知也。夫晋，何厌之有？既东封郑，又欲肆其西封，若不阙秦，将焉取之？阙秦以利晋，唯君图之。"秦伯说，与郑人盟，使杞子、逢孙、杨孙戍之，乃还。

子犯请击之，公曰："不可。微夫人之力不及此。因人之力而敝之，不仁。失其所与，不知。以乱易整[⑦]，不武。吾其还也。"亦去之。

【注释】

①无礼于晋：重耳出亡过郑时，郑文公“不礼焉”。

②函陵：地名，今属河南。

③氾：水名，今属河南。

④缒而出：缒，音 zhuì，以绳悬之城下出来。

⑤陪邻：陪，同“倍”，增加；邻，指秦之邻晋国。

⑥朝济而夕设版焉：设版，筑城。晋惠公曾许以赂秦，但渡河回国后便筑城设防。朝、夕，言背约之速。事见僖公十五年。

⑦以乱易整：晋攻秦为乱，秦、晋和睦为整。

【译文】

九月初十，晋文公、秦穆公包围郑国，因为郑国对晋国无礼，而且心向着楚国。晋军驻扎在函陵，秦军驻扎在氾南。佚之狐对郑文公说：“国家危急了。假如派遣烛之武去进见秦君，秦国军队就一定会退走。”郑文公采纳了这个建议。烛之武推辞说：“下臣年壮的时候，尚且不如别人；现在老了，更是无能为力了。”郑文公说：“我没有能及早任用您，现在形势危急了而来求您，这是我的过错。然而郑国被灭亡，对您也不好啊。”烛之武答应了，夜里用绳子把自己从城上吊到城外，进见秦穆公，说：“秦、晋两国包围郑国，郑国已经知道自己要灭亡了。如果灭亡郑国而对君王有好处，那是值得劳碌您左右随从的。越过别的国家而以远方的土地作为边邑，君王知道是不容易的，怎么用得着灭亡郑国来为邻国增加土地呢？邻国实力加强，就是君王的削弱。如果赦免郑国，让它做你们东路上的主人，使者的往来，供应它所缺少的一切，对君王也没有什么害处。而且君王曾经把好处赐给过晋国国君，晋国答应给君王焦、瑕两地，但他们早晨渡过河回国，晚上就设版筑城，这是君王所知道的。晋国哪有满足？已经在东边向郑国扩大了土地，又要肆意扩大它西边的土地。假如不损害秦国，还能到哪里去取得土地呢？做损害秦国而有利于晋国的事，请君王三思啊。”秦穆公很高兴，和郑国人结盟，派遣杞子、逢孙、杨孙在郑国戍守，就撤退了。

子犯请求袭击秦军。晋文公说：“不行，如果没有他们的力量，我们就不会有今天这个地位。依靠了别人的力量，反而损害他，这是不仁。失掉了同盟国家，这是不智。用动乱代替齐整，这是不武。我们还是回去吧。”于是晋文公也撤军回国。

殽之战

(僖公三十二年—三十三年)

【原文】

冬，晋文公卒。庚辰，将殡于曲沃。出绛，柩有声如牛。卜偃使大夫拜，曰："君命大事[①]：将有西师过轶我，击之，必大捷焉。"

杞子[②]自郑使告于秦，曰："郑人使我掌其北门之管，若潜师以来，国可得也。"穆公访诸蹇叔，蹇叔曰："劳师以袭远，非所闻也。师劳力竭，远主备之，无乃不可乎！师之所为，郑必知之。勤而无所，必有悖心。且行千里，其谁不知？"公辞焉。召孟明、西乞、白乙，使出师于东门之外。蹇叔哭之，曰："孟子，吾见师之出而不见其入也。"公使谓之曰："尔何知！中寿[③]，尔墓之木拱矣。"蹇叔之子与师，哭而送之，曰："晋人御师必于殽[④]。殽有二陵焉，其南陵，夏后皋之墓也；其北陵，文王之所辟风雨也。必死是间，余收尔骨焉。"秦师遂东。

三十三年春，秦师过周北门，左右免胄而下[⑤]，超乘者三百乘。王孙满尚幼，观之，言于王曰："秦师轻而无礼[⑥]，必败。轻则寡谋，无礼则脱。入险而脱，又不能谋，能无败乎？"及滑，郑商人弦高将市于周，遇之。以乘韦先[7]，牛十二，犒师，曰："寡君闻吾子将步师出于敝邑，敢犒从者。不腆[8]敝邑，为从者之淹，居则具一日之积，行则备一夕之卫。"且使遽告于郑。

郑穆公使视客馆[9]，则束载、厉兵、秣马矣。使皇武子辞焉，曰："吾子淹久于敝邑，唯是脯资饩牵竭矣。为吾子之将行也，郑之有原圃[10]，犹秦之有具囿也。吾子取其麋鹿以闲敝邑，若何？"杞子奔齐，逢孙、杨孙奔宋。孟明曰："郑有备矣，不可冀也。攻之不克，围之不继，吾其还也。"灭滑而还。……

晋原轸曰："秦违蹇叔，而以贪勤民，天奉我也。奉不可失，敌不可纵。纵敌，患生；违天，不祥。必伐秦师。"栾枝曰："未报秦施，而伐其师，其为死君乎？"先轸曰："秦不哀吾丧而伐吾同姓[11]，秦则无礼，何施之为？吾闻之，一日纵敌，数世之患也。谋及子孙，可谓死君乎？"遂发命，遽兴姜戎。子墨衰绖[12]，梁弘御戎，莱驹为右。

夏四月辛巳，败秦师于殽，获百里孟明视、西乞术、白乙丙以归。遂墨以葬文公，晋于是始墨。

文嬴[13]请三帅，曰："彼实构吾二君，寡君若得而食之，不厌，君何辱讨焉？使归就戮于秦，以逞寡君之志，若何？"公许之。先轸朝，问秦囚，公曰："夫人请之，吾舍之矣。"先轸怒，曰："武夫力而拘诸原，妇人暂而免诸国，堕军实而长寇仇，亡无日矣！"不顾而唾。公使阳处父追之，及诸河，则在舟中矣。释左骖[14]，以公命赠孟明。孟明稽首曰："君之惠，不以累臣衅鼓，使归就戮于秦，寡君之以为戮，死且不朽。若从君惠而免之，三年将拜君赐[15]。"

秦伯素服郊次，乡师而哭，曰："孤违蹇叔，以辱二三子，孤之罪也。"不替孟明，曰："孤之过也。大夫何罪？且吾不以一眚掩大德。"

【注释】

①大事：指军事行动。《左传·成公十三年》："国之大事，在祀与戎。"

②杞子：僖公三十年，秦使杞子等三人戍郑。

③中寿：古时中寿是多少，说法不一，约指六七十岁。连下句意谓你已过了中寿的年龄，早该死了。

④殽：亦作崤，山名，在今河南洛宁西北。山势险厄，系关塞要道。

⑤左右免胄而下：胄，头盔。古代兵车，御者在中，射者在左，持戈盾者在右。过王城时，左右皆下并脱去头盔，表示向天子致敬，御者不下，仍驾车前行。

⑥轻而无礼：轻指超乘；无礼指仅免胄而不卷甲束兵。

⑦以乘韦先：先送上四张熟牛皮。韦，熟牛皮。

⑧不腆：腆，音 tiǎn，丰厚，不腆即贫穷不富有。

⑨客馆：即杞子等三人所居之处。

⑩原圃：与下"具囿"，均为放养禽兽的猎场。

⑪伐吾同姓：郑、滑与晋同为姬姓国。

⑫子墨衰绖：子指晋襄公，其父文公未葬，故称子。衰绖，音 cuī dié，丧服。意谓为了去打仗，晋襄公把白色的丧服染成黑色。

⑬文嬴：即僖公二十三年秦穆公妻于重耳之怀嬴，晋文公夫人，襄公嫡母。

⑭释左骖：解开在左边驾车的那匹马。连下句意谓伪称赠马，诱孟明上岸执之。

⑮三年将拜君赐：孟明没有受骗上岸，以外交辞令说三年之后要来复仇。

【译文】

冬季，晋文公死。十二月初十，准备把棺材停放在曲沃。离开绛城，棺材里有声音像牛叫。卜偃请大夫跪拜，说："国君发布军事命令：将要有西边的军队过境袭击我国，如果攻击他们，必定大胜。"

杞子从郑国派人告诉秦国说："郑国人让我掌管他们城北门的钥匙，若偷偷发兵前来，可以占领他们的国都。"秦穆公去问蹇叔，蹇叔说："让军队疲劳而去侵袭相距遥远的地方，我没听说过。军队疲劳，力量衰竭，远地的国家有防备，恐怕不行吧！我们军队的行动，郑国一定知道，费了力气不讨好，士兵一定有抵触情绪。而且行军千里之遥，有谁会不知道？"秦穆公不接受他的意见。召见孟明、西乞、白乙，让他们在东门外出兵。蹇叔哭着送他们，说："孟子啊，我看到军队出去而看不到回来了。"秦穆公派人对他说："你知道什么！如果你六七十岁死了，你坟上的树木已经合抱了。"蹇叔的儿子在军队里，蹇叔哭着送他，说："晋国人必定在殽山抵御我军。殽山有两座山陵，它的南陵，是夏后皋的坟墓；它的北陵，是文王在那里避过风雨的地方。你必定死在这两座山陵之间，我去那里收你的尸骨吧。"秦国的军队就向东出发了。

三十三年春季，秦国的军队经过成周王城的北门，战车上除御者以外，车左、车右都取下头盔下车致敬，随即跳上车去的有三百辆战车的将士。王孙满年纪还小，看到了，对周天子说："秦国军队轻佻而无礼，必定失败。轻佻就缺少计谋，无礼则容易疏略。进入险地而麻痹疏略，又不能善于谋划，能不打败仗吗？"秦军抵达滑国，郑国的商人弦高准备到成周做买卖，碰到秦军，先送秦军四张熟牛皮作见面礼，再送十二头牛犒劳军队，说："我们的国君听说您准备行军经过我国，谨来犒赏您的随从。我国虽然很贫穷，为了您的随从在这里停留，住下就预备一天的供应，离开就准备一夜的保卫。"弦高同时又派邮车紧急地向郑国报告。

郑穆公派人去探望杞子等人的馆舍，发现他们已经装束完毕、磨快了武器、喂饱了战马。于是就派皇武子辞谢他们，说："大夫们久住在这里，敝邑的干肉、粮食、牲口都竭尽了。为了大夫们将要离开这里，郑国有原圃，就如同秦国有具囿一样，大夫们自己回贵国去猎取麋鹿，使敝邑得有闲空，如何？”于是杞子逃到齐国，逢孙、杨孙逃到宋国。孟明说：“郑国有准备了，不能存有希望了。攻打郑国不能取胜，包围它又没有后援，我们还是回去吧。”灭亡了滑国就往回返。……

晋国的原轸说：“秦君违背蹇叔的话，因为贪婪而劳碌百姓，这是上天给予我们的机会。给予的不能丢失，敌人不能放走。放走敌人，就会发生祸患；违背天意，就不吉利。必定要进攻秦国军队。”栾枝说：“没有报答秦国的恩惠而进攻它的军队，心目中还有死去的国君吗？”先轸说：“我们有丧事，秦国不悲伤，反而攻打我们同姓的国家，他们就是无礼，还讲什么恩惠？我听说，一天放走敌人，就是几代的祸患。为子孙后代们打算，这可以有话对死去的国君说了吧？”于是就发布起兵的命令，立即动员姜戎的军队。晋襄公把丧服染成黑色，梁弘驾御战车，莱驹作为车右。

夏四月十三日，在殽山打败了秦国军队，俘虏了指挥官百里孟明视、西乞术、白乙丙带回来。于是便穿着黑色的丧服来安葬晋文公，晋国从此开始使用黑色丧服。

文嬴请求把三位指挥官释放回国，说：“他们挑拨我们两国国君关系，寡君如果抓到他们，吃他们的肉还不能满足，何必劳君王去讨伐呢？让他们回到秦国受诛杀，以便使寡君快意，怎么样？”晋襄公答应了。先轸上朝，问起秦国的囚犯，晋襄公说：“母亲代他们提出请求，我就放走他们了。”先轸很生气，说：“武人花力气在战场上逮住他们，女人说几句谎话就把他们在国都放了，毁伤战果而长了敌人的志气，晋国快要灭亡了！”先轸不顾襄公在面前就在地上吐唾沫。晋襄公派遣阳处父追赶放走的三个人，追到黄河边上，他们已经上船了。阳处父解下车左边的骖马，用晋襄公的名义赠送给他们。孟明叩头说：“蒙君王的恩惠，不用被囚之臣来祭鼓，让我们回到秦国去受诛戮。寡君若杀了我们，死而不朽；如果依从君王的恩惠而赦免我们，三年以后将要拜谢君王恩赐。”

秦穆公身着素服驻在郊外，对着被释放回来的将士号哭，说：“我没有听蹇叔的话，使你们几位受到侮辱，是我的罪过啊！不撤回孟明的驻军，都是我的过错。你们三位有什么罪？而且，我也不能用一次的过错来掩盖你们的大德。”

晋灵公不君

(宣公二年)

【原文】

晋灵公不君[①]：厚敛以雕墙；从台上弹人，而观其辟丸也；宰夫胹[②]熊蹯不熟，杀之，置诸畚，使妇人载以过朝。赵盾、士季[③]见其手，问其故，而患之。将谏，士季曰："谏而不入，则莫之继也。会请先，不入，则子继之。"三进，及溜，而后视之。曰："吾知所过矣，将改之。"稽首而对曰："人谁无过？过而能改，善莫大焉。《诗》曰[④]：'靡不有初，鲜克有终。'夫如是，则能补过者鲜矣。君能有终，则社稷之固也，岂唯群臣赖之。又曰[⑤]：'衮职有阙，惟仲山甫补之。'能补过也。君能补过，衮[⑥]不废矣。"犹不改。宣子骤谏，公患之，使鉏麑贼之。晨往，寝门辟矣，盛服将朝。尚早，坐而假寐。麑退，叹而言曰："不忘恭敬，民之主也。贼民之主，不忠。弃君之命，不信。有一于此，不如死也。"触槐而死。

秋九月，晋侯饮赵盾酒，伏甲，将攻之。其右提弥明知之，趋登，曰："臣侍君宴，过三爵，非礼也。"遂扶以下，公嗾夫獒焉[⑦]。明搏而杀之。盾曰："弃人用犬，虽猛何为！"斗且出，提弥明死之。

初，宣子田于首山[8]，舍于翳桑，见灵辄饿，问其病。曰："不食三日矣。"食之，舍其半。问之，曰："宦三年矣，未知母之存否，今近焉，请以遗之。"使尽之，而为之箪食与肉，置诸橐以与之。既而与为公介，倒戟以御公徒，而免之。问何故，对曰："翳桑之饿人也。"问其名居，不告而退。遂自亡也。

乙丑，赵穿杀灵公于桃园。宣子未出山而复。大史书曰："赵盾弑其君。"以示于朝。宣子曰："不然。"对曰："子为正卿，亡不越竟，反不讨贼，非子而谁？"宣子曰："乌呼！《诗》曰[9]：'我之怀矣，自诒伊戚。'其我之谓矣！"

孔子曰："董狐[10]，古之良史也，书法不隐。赵宣子，古之良大夫也，为法受恶。惜也，越竟乃免。"

宣子使赵穿逆公子黑臀于周而立之。壬申，朝于武宫。

【注释】

①晋灵公不君：晋灵公名夷皋，襄公之子。不君，不行君道。

②胹：音 ér，炖煮。

③赵盾、士季：赵盾，晋正卿，时执晋政，又称宣子、宣孟；士季，名会，晋大夫。

④《诗》曰：《诗经·大雅·荡》句。

⑤又曰:《诗经·大雅·烝民》句。
⑥衮:天子礼服,代指君位。
⑦嗾夫獒焉:嗾,音 sǒu,唤狗的声音;獒,音 áo,凶猛的狗。
⑧首山:又名首阳山,在今山西永济东南。
⑨《诗》曰:《诗经·邶风·雄雉》句。
⑩董狐:即书史的太史。

【译文】

晋灵公做事不行为君之道:他加重税收用来彩画墙壁;从高台上用弹丸打人而看他们如何躲避弹丸取乐;厨子烧煮熊掌不熟,灵公杀死他,放在筐里,让女人用车装着走过朝廷。赵盾和士季看到死尸的手,问起杀人的原因,感到担心,准备进谏。士季对赵盾说:"你劝谏他如果听不进去,就没有人接着劝谏了。请让我先去,不听,你再接着劝谏。"士季往前走了三次,到达屋檐下,晋灵公才转眼看他,说:"我知道错了,打算改正。"士季叩头回答说:"一个人谁没有犯过错?有了过错能够改正,就没有比这再好的事情了。《诗》上说:'事情无不有个好开始,很少能有个好结果的。'像您这样知错即改的人就很少了。君王有好结果,那就是国家的保障了,岂只是臣下们依靠它。《诗》又说:'周宣王有了过失,只有仲山甫前来弥补。'这说的是君王能够弥补过失。君王能够补过,君位就不会丢弃了。"晋灵公尽管口头上说要改错,行动上还是不改。赵盾屡次进谏,晋灵公很讨厌,派遣鉏麑去刺杀他。鉏麑在早晨前往,赵盾的卧室门已经开了,他穿得整整齐齐,准备上朝。因时间还早,正坐着打瞌睡。鉏麑退出来,叹着气说:"不忘记恭敬,真是百姓的主人。刺杀百姓的主人,就是不忠;放弃国君的使命,就是不信。两件事情如果有了一件,不如死了好。"撞在槐树上死去了。

秋九月，晋灵公请赵盾喝酒，埋伏下甲士，打算杀死赵盾。赵盾的车右提弥明察觉了，快步登上殿堂，说："臣下侍奉国君饮酒，超过三杯，就不合乎礼了。"于是就扶了赵盾下殿。晋灵公嗾使恶狗扑过去，提弥明上前搏斗，把狗杀了。赵盾说："丢开人而利用狗，虽然凶猛，又有什么用！"赵盾一边搏斗一边退了出去，提弥明被杀死在里边。

当初，赵盾在首阳山打猎，住在翳桑，看见灵辄饿得厉害，问他有什么病。灵辄说："已经三天没吃东西了。"赵盾给他食物吃，他留下一半。问他原因，他说："在外做人仆隶三年了，不知道母亲还在不在，现在快到家了，请让我把这个留给她。"赵盾让他吃完，并且又给他准备了一筐饭和一些肉，放在袋子里给了他。后来灵辄做了晋灵公的卫兵，在这次事件中倒过戟来抵御晋灵公的其他卫兵，使赵盾免于祸难。赵盾问他为什么这样做，他回答说："我就是翳桑那个饿倒的人啊。"问他的姓名和住处，他不回答就退了出去。于是赵盾就逃走了。

九月二十六日，赵穿在桃园杀死了晋灵公。赵盾没有逃出晋国国境就回来再度做卿。太史记载说"赵盾弑其君"，在朝廷上公布。赵盾说："不是这样。"太史回答说："您是正卿，逃亡而没有走出国境，回来不惩罚凶手，弑君的人不是您还是谁？"赵盾说："哎呀！《诗》说：'因为我怀恋祖国，反而给自己带来了忧患。'恐怕说的就是我了！"

孔子说："董狐，是古代的好史官，据事直书而不加隐讳。赵宣子，是古代的好大夫，为了法度而蒙受恶名。太可惜了，若逃出了国境，就可以免于杀君的罪名了。"

赵盾派遣赵穿去成周迎接公子黑臀回国而立他为国君。十月初三，公子黑臀到武宫庙朝祭即位。

王孙满对楚王问鼎

（宣公三年）

【原文】

楚子伐陆浑之戎[1]，遂至于雒，观兵于周疆。定王使王孙满劳楚子，楚子问鼎之大小轻重[2]焉。对曰："在德，不在鼎。昔夏之方有德也，远方图物，贡金九牧，铸鼎象物，百物而为之备，使民知神、奸。故民入川泽、山林，不逢不若。魑魅罔魉[3]，莫能逢之。用能协于上下，以承天休。桀有昏德，鼎迁于商，载祀六百。商纣暴虐，鼎迁于周。德之休明，虽小，重也。其奸回昏乱，虽大，轻也。天祚明德，有所底止。成王定鼎于郏鄏[4]，卜世三十，卜年七百，天所命也。周德虽衰，天命未改。鼎之轻重，未可问也。"

【注释】

①楚子：楚庄王。陆浑之戎：西北古民族，原居秦晋以西，后迁伊川，在今河南嵩县一带。

②鼎之大小轻重：鼎即九鼎，是周王权的象征。楚王问鼎，有取代周王的意图。

③螭魅罔魉：螭魅，音 chī mèi，山水中的鬼怪。罔魉，木石中的鬼怪。

④成王：周成王。郏鄏：周地名，即洛阳。

【译文】

楚庄王攻打陆浑之戎，因此到达洛水，在周王室境内陈兵示威。周定王派遣王孙满去慰劳楚庄王，楚庄王问起九鼎的大小轻重。王孙满回答说："鼎的大小轻重在于德而不在于鼎的本身。从前夏朝正是有德的时候，把远方的东西画成图像，叫九州的长官进贡青铜，铸造了九鼎，并把图像也铸在鼎上。各种东西都齐备在鼎的上面了，以便让人民认识什么是神物，什么是恶物。所以老百姓进入川泽山林，就不会碰上不利于自己的东西，螭魅魍魉这些鬼怪，也就不会遇到了。因而能够使上下和协，得到上天的保佑。夏桀昏乱无德，鼎迁到了商朝，记载有六百年。商纣王暴虐无道，鼎又迁到了周朝。德行如果美善光明，鼎虽然小，也重得不能迁走。如果奸邪昏乱，鼎虽然大，也是轻而可迁的。上天赐福给有明德的人，是有一定期限的。周成王把九鼎固定在郏鄏的时候，占卜的结果是传世三十代，享国七百年，这是上天下的命令。周朝的德行现在虽然衰减了，天命并没有改变。鼎的大小轻重，是不能随便询问的。"

郑灵公之弑

（宣公四年）

【原文】

楚人献鼋于郑灵公。公子宋与子家[1]将见。子公之食指动，以示子家，曰："他日我如此，必尝异味。"及入，宰夫将解鼋，相视而笑。公问之，子家以告。及食大夫鼋，召子公而弗与也[2]。子公怒，染指于鼎，尝之而出。公怒，欲杀子公。子公与子家谋先。子家曰："畜老，犹惮杀之，而况君乎？"反谮子家。子家惧而从之。夏，弑灵公。

书曰："郑公子归生弑其君夷[3]。"权不足也[4]。君子曰："仁而不武，无能达也。"凡弑君，

称君，君无道也；称臣，臣之罪也。

【注释】

①公子宋、子家：公子宋，字子公；公子归生，字子家。

②召子公而弗与也：叫他来了而不给他吃，故意叫子公尴尬。

③夷：郑灵公名夷，穆公太子，即位不到一年即被杀。

④权不足也：子家不如子公的职权之大，无力御乱，反惧谮弑君，落了首恶之名。

【译文】

楚国有人献给郑灵公大甲鱼。公子宋和子家将要进见。公子宋的食指忽然跳动起来，就把它给子家看了看，说："以往我发生食指跳动的情况，一定能尝到新奇的美味。"等到进去以后，厨子正准备把甲鱼切开，两个人互相看着笑起来了。郑灵公问他们为什么笑，子家就把刚才的情况告诉了郑灵公。等到把甲鱼赏赐给大夫们吃的时候，也把公子宋召来了，但偏不给他吃。公子宋发怒了，把手指头蘸在煮的鼎里，尝了尝味道退了出去。郑灵公也发怒了，要杀死公子宋。公子宋与子家谋划着先下手，子家说："牲口老了，要杀死它尚且有所顾忌，何况国君呢？"公子宋就反过来诬告子家。子家害怕了，只好跟着他干。这年夏天，杀了郑灵公。

《春秋》记载说："郑公子归生弑其君夷。"这是因为子家的权力不足的缘故。君子说："仁爱而没有勇武，是行不通的啊。"凡是杀死国君的，如果只记载国君的名字，就说明是国君无道。记载臣下的名字，这是由于臣下的罪过。

鞌之战

(宣公十七年—成公二年)

【原文】

十七年春，晋侯使郤克征会于齐。齐顷公帷妇人[①]使观之。郤子[②]登，妇人笑于房。献子怒，出而誓曰："所不此报，无能涉河！"献子先归，使栾京庐待命于齐，曰："不得齐事，无复命矣。"郤子至，请伐齐，晋侯弗许；请以其私属，又弗许。……

(成公）二年春，齐侯伐我北鄙，围龙。顷公之嬖人卢蒲就魁门焉，龙人囚之。齐侯曰："勿杀！吾与而盟，无入而封。"弗听，杀而膊诸城上。齐侯亲鼓，士陵城。三日，取龙，遂南侵，及巢丘。

卫侯使孙良夫、石稷、宁相、向禽将侵齐，与齐师遇。石子欲还，孙子曰："不可。以师伐人，遇其师而还，将谓君何？若知不能，则如无出。今既遇矣，不如战也。"……

石成子曰："师败矣。子不少须，众惧尽。子丧师徒，何以复命？"皆不对。又曰："子，国卿也。陨子，辱矣。子以众退，我此乃止。"且告车来甚众，齐师乃止，次于鞫居。新筑人仲叔于奚救孙桓子，桓子是以免。……

孙桓子还于新筑，不入，遂如晋乞师。臧宣叔亦如晋乞师。皆主郤献子。晋侯许之七百乘。郤子曰："此城濮之赋也。有先君之明与先大夫之肃，故捷。克于先大夫，无能为役，请八百乘。"许之。郤克将中军，士燮佐上军，栾书将下军，韩厥为司马，以救鲁、卫。臧宣叔逆晋师，且道之。季文子帅师会之。

及卫地，韩献子将斩人，郤献子驰，将救之。至，则既斩之矣。郤子使速以徇，告其仆曰："吾以分谤也。"

师从齐师于莘。六月壬申，师至于靡笄之下。齐侯使请战，曰："子以君师辱于敝邑，不腆敝赋[③]，诘朝请见。"对曰："晋与鲁、卫，兄弟也[④]。来告曰：'大国朝夕释憾于敝邑之地。'寡君不忍，使群臣请于大国，无令舆师淹于君地。能进不能退，君无所辱命。"齐侯曰："大夫之许，寡人之愿也；若其不许，亦将见也。"齐高固入晋师，桀石以投人，禽之。而乘其车，系桑本焉，以徇齐垒，曰："欲勇者，贾余馀勇！"

癸酉，师陈于鞌[⑤]。邴夏御齐侯，逢丑父为右。晋解张御郤克，郑丘缓为右。齐侯曰："余姑翦灭此而朝食。"不介马而驰之。郤克伤于矢，流血及屦，未绝鼓音，曰："余病矣！"张侯曰："自始合，而矢贯余手及肘，余折以御，左轮

朱殷，岂敢言病？吾子忍之！”缓曰：“自始合，苟有险，余必下推车，子岂识之？然子病矣！”张侯曰：“师之耳目，在吾旗鼓，进退从之。此车一人殿之，可以集事，若之何其以病败君之大事也？擐甲执兵，固即死也。病未及死，吾子勉之！”左并辔，右援枹而鼓。马逸不能止[6]，师从之。齐师败绩。逐之，三周华不注[7]。

韩厥梦子舆谓己曰：“旦辟左右。”故中御而从齐侯。邴夏曰：“射其御者，君子也。”公曰：“谓之君子而射之，非礼也。”射其左，越于车下。射其右，毙于车中。綦毋张丧车，从韩厥，曰：“请寓乘。”从左右，皆肘之，使立于后。韩厥俛[8]，定其右。逢丑父与公易位[9]。将及华泉，骖絓于木而止。丑父寝于轏[10]中，蛇出于其下，以肱击之，伤而匿之，故不能推车而及。韩厥执絷马前，再拜稽首，奉觞加璧以进，曰："寡君使群臣为鲁、卫请，曰：'无令舆师陷入君地。'下臣不幸，属当戎行，无所逃隐。且惧奔辟而忝两君，臣辱戎士，敢告不敏，摄官承乏。"丑父使公下，如华泉取饮[11]。郑周父御佐车，宛茷为右，载齐侯以免。韩厥献丑父，郤献子将戮之，呼曰："自今无有代其君任患者，有一于此，将为戮乎？"郤子曰："人不难以死免其君。我戮之，不祥，赦之以劝事君者。"乃免之。

齐侯免，求丑父，三入三出。每出，齐师以帅退。入于狄卒，狄卒皆抽戈、楯冒之。以入于卫师，卫师免之。遂自徐关入。齐侯见保者，曰："勉之！齐师败矣。"辟女子，女子曰："君免乎？"曰："免矣。"曰："锐司徒免乎？"曰："免矣。"曰："苟君与吾父免矣，可若何！"乃奔。齐侯以为有礼，既而问之，辟司徒之妻也，予之石窌。

晋师从齐师，入自丘舆，击马陉。齐侯使宾媚人赂以纪甗、玉磬与地[12]。"不可，则听客之所为。"宾媚人致赂，晋人不可，曰："必以萧同叔子为质，而使齐之封内尽东其亩[13]。"对曰："萧同叔子非他，寡君之母也。若以匹敌，则亦晋君之母也。吾子[14]布大命于诸侯，而曰：'必质其母以为信。'其若王命何？且是以不孝令也。《诗》曰[15]：'孝子不匮，永锡尔类。'若以不孝令于诸侯，其无乃非德类也乎！先王疆理天下，物土之宜，而布其利。故《诗》曰：‘我疆我理，南东其亩。’今吾子疆理诸侯，而曰‘尽东其亩’而已，惟吾子戎车是利，无顾土宜，其无乃非先王之命也乎！反先王则不义，何以为盟主？其晋实有阙。四王之王也，树德而济同欲焉。五伯之霸[16]也，勤而抚之，以役王命。今吾子求合诸侯，以逞无疆之欲。《诗》曰[17]：‘布政优优，百禄是遒。’子实不优，而弃百禄，诸侯何害焉？不然，寡君之命使臣，则有辞矣。曰：‘子以君师辱于敝邑，不腆敝赋，以犒从者。畏君之震，师徒桡败。吾子惠徼齐国之福，不泯其社稷，使继旧好，唯是先君之敝器、土地不敢爱。子又不许，请收合余烬，背城借一。敝邑之幸，亦云从也。况其不幸，敢不唯命是听？’”

鲁、卫谏曰：“齐疾我矣。其死亡者，皆亲昵也。子若不许，仇我必甚。唯子，则又何求？子得其国宝，我亦得地，而纾于难，其荣多矣。齐、晋亦唯天所授，岂必晋？”晋人许之，对曰：“群臣帅赋舆，以为鲁、卫请，若苟有以藉口而复于寡君，君之惠也。敢不唯命是听？”

禽郑自师逆公。秋七月，晋师及齐国佐盟于爰娄，使齐人归我汶阳之田。公会晋师于上鄍，赐三帅先路三命之服[18]，司马、司空、舆帅、候正、亚旅，皆受一命之服。

【注释】

①妇人：指齐顷公之母萧同叔子，即鞌之战后晋欲以为质者。

②郤子：即郤献子，名郤克，晋大夫。其足跛，故登阶进见，遭到萧同叔子的戏弄嘲笑。

③赋：出兵的数量。

④晋与鲁、卫，兄弟也：均为姬姓国，故称“兄弟”。

⑤鞌：同“鞍”，齐地名，在今山东济南附近。

⑥马逸不能止：逸，奔跑，狂奔。解张本来两手执缰，现在右手代郤克击鼓，受伤的左手并辔驾车，故不能控制马狂奔。

⑦华不注：山名，在今济南市东北。

⑧俛：同“俯”，俯下身子。

⑨易位：逢丑父乘韩厥俯身时与齐顷公交换位置，以便在不能逃脱时蒙混晋军。

⑩轏：同“栈”，竹木做的棚车。

⑪华泉取饮：华不注山下之泉。逢丑父以取水为由叫齐顷公乘机逃脱。

⑫纪甗、玉磬与地：甗，音 yǎn，礼器；磬，音 qìng，乐器。纪甗、玉磬，当为齐灭纪时所得之国宝。地，土地，即下文所说的“汶阳之田”之类。

⑬尽东其亩：古时垄亩多南北向，则沟渠道路也多南北向。为便于从西向东进攻齐国，故晋以此作为齐求和条件之一。

⑭吾子：当指郤克。

⑮《诗》曰：《诗经·小雅·信南山》句。

⑯四王、五霸：杜预注以为四王即禹、汤、周文王、周武王；五霸即夏昆吾，商大彭、豕韦，周齐桓、晋文。

⑰《诗》曰：《诗经·商颂·长发》句。

⑱三帅：指晋军中的郤克、士燮、栾书三位高级将领。先路：卿的礼车。三命之服为卿的礼服，下文一命之服为大夫的礼服。

【译文】

十七年春，晋景公派遣郤克到齐国去召请齐顷公参加盟会。齐顷公用帷幕遮住夫人让她观看。郤克登上台阶进见，那妇人就在厢房里笑出声来。郤克发怒了，出来发誓说：“如果不报复这一次的耻辱，我就不再东渡黄河！”郤克先回国，叫栾京庐在齐国等候命令，说：“不能完成在齐国的事情，就不要回国复命。”郤克回到晋国，请求攻打齐国，晋景公不答应；请求带领自己的宗族家兵去攻打齐国，晋景公也不答应……

(成公)二年春天，齐顷公进攻鲁国北部边境，包围龙地。齐顷公的宠臣卢蒲就魁攻打城门，龙地的人把他捉住囚禁。齐顷公说：“不要杀他，我和你们盟誓，不进入你们的境内。”龙地的人不听，把他杀了，暴尸城上。齐顷公亲自击鼓，兵士爬登城墙。三天，占领了龙地。于是就向南攻打,到达巢丘。

卫穆公派遣孙良夫、石稷、宁相、向禽率兵入侵齐国,和齐军相遇,石稷想要回去,孙良夫说:“不行。用军队攻打别人,碰到敌人就回去,将怎么向国君交代?如果知道不能作战,就不应该出兵。现在既然和敌军相遇,不如一战。”……

石稷说:“军队败了,您若不稍等待,顶住敌军,就会全军覆灭。您丧失了军队,如何回报君命?”大家都不回答。石稷又说:“您,是国家的卿。损失了您,就是一种羞耻。您带着大家撤退吧,我停在这里。”同时通告军中,说援军的战车已大批来到,齐国的军队也由此停止前进,驻扎在鞫居。新筑大夫仲叔于奚援救了孙良夫,孙良夫因此得免于难。……

孙良夫回到新筑,不进国都,就到晋国请求出兵。臧宣叔也到晋国请求出兵。两人都投奔郤克。晋景公答应派出七百辆战车。郤克说:“这是城濮之战的战车数。当时有先君的明察和先大夫的敏捷,所以取胜。克与先大夫相比,还不足以做他们的仆人。请发八百乘战车。”晋景公允许了。郤克率领中军,士燮辅佐上军,栾书率领下军,韩厥做司马,以救援鲁国和卫国。臧宣叔迎接晋军,同时做向导开路。季文子率领军队和他们会合。

到达卫国境内,韩厥要杀人,郤克驾车疾驰赶去,打算救下那个人。等赶到,已经被杀了。郤克派人把尸体在全军中示众,还告诉他的御者说:“我以这样的做法来分担指责。”

晋、鲁、卫联军在莘地赶上齐军。六月十六日,军队到达靡笄山下。齐顷公派人请战,说:“您带领国君的军队光临敝邑,敝国的士兵人数很少,请在明天早晨相见。”郤克回答说:“晋和鲁、卫是兄弟国家,他们前来告诉我们说:‘大国不分早晚都在我国的土地上发泄气愤。’

寡君不忍，派下臣们前来向大国请求，同时又不让我军长久留贵国。我们只能前进不能后退，您的命令是不会不照办的。”齐顷公说：“大夫允许，正是齐国的愿望；若不允许，也要兵戎相见的。”齐国的高固攻入晋军，拿起石头就向晋军砸去，捉住晋军战俘，然后坐上他的战车，把桑树根子系在车上，巡行到齐军阵地上，说：“想要勇气的人可以来买我剩余的勇气！”

十七日，齐、晋两军在鞌地摆开阵势。邴夏为齐顷公驾车，逢丑父作为车右。晋国的解张为郤克驾车，郑丘缓作为车右。齐顷公说：“我姑且消灭了这些人再吃早饭。”马不披甲就驰向晋军。郤克受了箭伤，血流到鞋子上，但是鼓声不断，说：“我受伤了！”解张说：“从一开始交战，箭就射穿我的手和肘，我折断箭杆坚持驾车，左边的车轮都染成黑红色，哪里敢说受伤？您就忍着点吧！”郑丘缓说：“从一开始交战，如果遇到危险，我必定下去推车，您难道了解吗？不过您真是受伤了！”解张说：“军队的耳目，在于我们的旗子和鼓声，前进后退都要听从它。这辆车子由一个人坐镇，战事就可以成功。为何要为了一点痛苦而败坏国君的大事？身披盔甲，手执武器，本来说抱定必死的决心。受伤还没有到死的程度，你还是尽力而为吧！”于是就左手握住马缰，右手拿着鼓槌击鼓。马奔跑不能停止，全军就跟着上去。齐军大败。晋军追赶齐军，围绕华不注山转了三圈。

韩厥梦见他父亲子舆对他说：“明天不要站在战车两侧。”因此韩厥就站在中间驾战车而追赶齐顷公。邴夏说：“射那位驾车的人，他是君子。”齐顷公说：“认为他是君子而射他，这不合于礼。”射车左，车左死在车下。射车右，车右死在车里。綦毋张丢失了战车，跟上韩厥说：“请允许我搭乘您的战车。”上车后，想要站在左边或右边，韩厥用肘推他，让他站在身后。韩厥俯下身子，放稳车右的尸体。逢丑父和齐顷公乘机互换了位置。将要到达华泉，车两边的马被树木绊住而不能行走。头几天，逢丑父睡在栈车里，有一条蛇爬到他身边，他用小臂去打蛇，小臂受伤，但隐瞒了这件事没说，因此，他不能用臂推车前进，这样才被韩厥追上。韩厥拿着马缰走向马前，跪下叩头，捧着酒杯加上玉璧献上，说："寡君派臣下们替鲁、卫两国请求，说：'不要让军队进入齐国的土地。'下臣不幸，正好在军队服役，不能逃避职责。而且也害怕奔走逃避成为我们两国国君的耻辱，下臣勉强充当一名战士，谨向君王报告我的无能，但由于人手缺乏，只好承当这个官职。"逢丑父要齐顷公下车，到华泉去取水。郑周父驾驭副车，宛茷作为车右，拉上齐顷公逃走而免于被俘。韩厥献上逢丑父，郤克要杀死他。逢丑父喊叫说："到现在为止还没见有代替自己的国君受难的人，有一个在这里，还要被杀死吗？"郤克说："一个人不怕用死来使国君免于祸患，我杀了他，不吉利。赦免了他，用来勉励侍奉国君的人。"于是就赦免了逢丑父。

齐顷公免于被俘以后，寻找逢丑父，在敌军中三进三出。每次出来的时候，齐军都簇拥着保护他。进入狄人军队中，狄人的士兵都抽出戈和盾以保护齐顷公。进入卫国军队中，卫军也对他们不加伤害。于是，齐顷公就从徐关逃回齐国临淄。齐顷公看到守军，说："你们好好努力吧！齐军战败了。"齐顷公的车子前进时叫路上的一个女子躲开，这个女子说："国君免于祸难了吗？"说："免了。"她说："锐司徒免于祸难了吗？"说："免了。"她说："如果国君与我父亲免于祸难了，那还有什么可担心的！"就跑开了。齐顷公认为她有礼，经查询，才知道是辟司徒的妻子，就赐给她石窌作为封地。

晋军追击齐军，从丘舆进入齐国，进攻马陉。齐顷公派遣宾媚人把纪甗、玉磬和土地送给战胜诸国，说："如果他们不同意讲和，就随他们怎么办吧。"宾媚人送去财礼，晋人不同意，说："一定要让萧同叔子作为人质，同时让齐国境内的田陇全部改为东西向。”宾媚人回答说：“萧同叔子不是别人，是寡君的母亲。如果从对等的地位来说，那也就是晋军的母亲。您在诸侯中发布重大的命令，却说一定要把人家的母亲作为人质以取信，您又打算怎么对待周天子的命令呢？而且这样做，就是用不孝来命令诸侯。《诗》说：‘孝子的孝心没有竭尽，永远可以感染他的同类。’如果用不孝号令诸侯，这恐怕不是道德的准则吧！先王对天下的土地定疆界、分地理，因地制宜，做了有利的布置。所以《诗》说：‘我划定疆界、分别地理，南向东向开辟田亩。’现在您让诸侯定疆界、分地理，反而只说什么‘陇全部东向’，不顾地势是否适宜，只管自己兵车进出的方便，恐怕不是先王的政令吧！违反先王的政令就是不合道义，如何能做盟主？晋国确实是有过失的。四王统一天下，树立德行而满足诸侯的共同要求；五伯领导诸侯，自己勤劳而安抚诸侯，使大家为天子的命令而服役。现在您要求会合诸侯，来满足没有止境的欲望。《诗》说：‘政事推行宽大和缓，各种福禄都将积聚。’您确实不能宽大，丢弃了各种福禄，这对诸侯有什么损害呢？如果您不肯答应，寡君命令我使臣，就有话可说了：‘您带领贵国国君的军队光临敝邑，敝邑用仅有的财富，来犒劳您的随从。害怕贵国国君的愤怒，我军战败。您惠临而求齐国的福佑，不灭亡我们的国家，使我们两国继续过去的友好，那么先君的破旧器物和土地我们是不敢爱惜的。您若还不肯允许，我们就请求收集残兵败将，背靠自己的城下再决一死战。敝邑有幸而战胜，也会听从贵国的；何况不幸而战败，哪敢不唯命是听？’”

鲁、卫两国劝谏郤克说：“齐国怨恨我们了。齐国死去和溃散的，都是齐顷公的宗族亲戚。您如果不肯答应，一定更加仇恨我们。即使是您，还有什么可追求的？如果您获取到齐国的国宝，我们也得到土地，而缓和了祸难，这荣耀也就很多了。齐国和晋国都是由上天授予的，难道能保证晋国永久胜利吗？”晋国人答应了，回答说：“下臣们率领兵卒，来为鲁、卫两国请求。如果有话可以向寡君复命，这就是君王的恩惠了。岂敢不遵命？”

禽郑从军中去迎接鲁成公。秋七月，晋军和齐国宾媚人在爰娄结盟，使齐国把汶阳的田地归还鲁国。鲁成公在上鄍会见晋军，把先路和三命的车服赐给三位高级将领，司马、司空、舆帅、候正、亚旅都接受了一命的车服。

楚归知罃

（成公三年）

【原文】

晋人归楚公子谷臣与连尹襄老之尸于楚，以求知罃[①]。于是荀首佐中军矣，故楚人许之。

王送知罃，曰："子其怨我乎？"对曰："二国治戎，臣不才，不胜其任，以为俘馘。执事不以衅鼓，使归即戮，君之惠也。臣实不才，又谁敢怨？"王曰："然则德我乎？"对曰："二国图其社稷，而求纾其民，各惩其忿以相宥也。两释累囚[②]，以成其好。二国有好，臣不与及，其谁敢德？"王曰："子归，何以报我？"对曰："臣不任受怨，君亦不任受德，无怨无德，不知所报。"王曰："虽然，必告不谷。"对曰："以君之灵，累臣得归骨于晋，寡君之以为戮，死且不朽。若从君之惠而免之，以赐君之外臣首[③]，首其请于寡君而以戮于宗，亦死且不朽。若不获命，而使嗣宗职，次及于事，而帅偏师以修封疆，虽遇执事，其弗敢违。其竭力致死，无有二心，以尽臣礼，所以报也。"王曰："晋未可与争。"重为之礼而归之。……

荀罃之在楚也，郑贾人有将置诸褚[④]中以出。既谋之，未行，而楚人归之。贾人如晋，荀䓨善视之，如实出己。贾人曰："吾无其功，敢有其实乎？吾小人，不可以厚诬君子。"遂适齐。

【注释】

①知䓨：又名荀䓨，字子羽，晋荀首之子。宣公十二年，晋楚邲之战时，为楚俘获。

②累囚：累，捆绑。累囚即被捆绑起来的俘虏。

③外臣首：外臣，对异国国君自称本国的臣为外臣。首即荀首，知䓨之父。

④褚：音 zhǔ，大口袋。

【译文】

晋人把楚国公子谷臣和连尹襄老的尸首归还给楚国，以此要求把知䓨交换回来。当时荀首正担任着中军副帅，所以楚人就答应了。

楚共王送别知䓨，说："您恐怕怨恨我吧？"知䓨回答说："两国交兵，下臣没有才能，不能胜任，所以做了俘虏。君王的办事人员没有用我的血来祭鼓，而让我回国去接受诛戮，这是君王的恩惠啊。下臣实在没有什么才能，又敢怨恨谁呢？"楚共王说："那么感激我吗？"知䓨回答说："两国都为自己的国家打算，希望解除人民的苦难，各自抑制自己的愤怒来求互相原谅。两边都释放各自的战俘，以缔结友好。两国友好，下臣未曾参与谋划，又敢感激谁呢？"楚共王说："您回去，用什么来报答我？"知䓨回答说："下臣没有什么怨恨，君王也没担当着什么恩德，没有怨恨，没有恩德，我不知道该报答什么。"楚共王说："虽然是这样，一定要把您的想法告诉我。"知䓨回答说："托您的福，能够让被囚的下臣带着这把骨头回到晋国，我们的国君如果把我杀了，死而不朽。如果由于君王的恩惠赦免下臣，把下臣赐给您的外臣荀首，荀首向我们的国君请求，而要把下臣在自己的宗庙中加以诛杀，也死而不朽。如果得不到君王诛杀我的命令，而让下臣继承家族世袭的官职，按次序承担了晋国军事方面的事情，率领一部分军队保卫边疆，虽然碰到君王的文武官员，我也不敢逃避责任，将会竭尽全力以至于死，没有第二个想法，以尽到作为晋国臣子的职责。这就是我所报答君王的啊。”楚共王说：“晋国，是不能和它争夺的。”于是就对知罃重加礼遇而放他回去。……

知罃被囚在楚国的时候，郑国的一个商人打算把他藏在大口袋里带出楚国。已经商量好了，还没有实行，楚国人就把知罃送回来了。这个商人到了晋国，知罃待他很好，好像自己确实是被他救出来的一样。商人说：“我没有这样的功劳，哪敢有这样的实惠啊！我是小人，不能这样来欺骗君子了。”于是就到齐国去了。

吕相绝秦

（成公十三年）

【原文】

夏四月戊午，晋侯使吕相绝秦[①]，曰：

“昔逮我献公及穆公相好，戮力同心，申之以盟誓，重之以昏姻[②]。天祸晋国，文公如齐，惠公如秦。无禄[③]，献公即世。穆公不忘旧德，俾我惠公用能奉祀于晋。又不能成大勋，而为韩之师[④]。亦悔于厥心，用集我文公，是穆之成也。

“文公躬擐甲胄，跋履山川，逾越险阻，征东之诸侯，虞、夏、商、周之胤而朝诸秦，则亦既报旧德矣。郑人怒君之疆埸，我文公帅诸侯及秦围郑。秦大夫不询于我寡君，擅及郑盟。诸侯疾之，将致命于秦。文公恐惧，绥静诸侯，秦师克还无害，则是我有大造于西也。

“无禄，文公即世，穆为不吊，蔑死我君，寡我襄公，迭我殽地，奸绝我好，伐我保城，殄灭我费滑[⑤]，散离我兄弟，挠乱我同盟，倾覆我国家。我襄公未忘君之旧勋，而惧社稷之陨，是以有殽之师。犹愿赦罪于穆公。穆公弗听，而即楚谋我。天诱其衷，成王殒命，穆公是以不克逞志于我。

“穆、襄即世，康、灵即位。康公，我之自出[⑥]，又欲阙翦我公室，倾覆我社稷，帅我蝥贼[⑦]，以来荡摇我边疆，我是以有令狐之役。康犹不悛，入我河曲，伐我涑川，俘我王官，翦我羁马。我是以有河曲之战。东道之不通[⑧]，则是康公绝我好也。

“及君之嗣也，我君景公引领西望，曰：‘庶抚我乎！’君亦不惠称盟，利吾有狄难，入我河县，焚我箕、郜，芟夷我农功，虔刘我边陲，我是以有辅氏之聚[⑨]。君亦悔祸之延，而欲徼福于先君献、穆，使伯车来命我景公曰：‘吾与女同好弃恶，复修旧德，以追念前勋。’言誓未就，景公即世，我寡君是以有令狐之会。君又不祥，背弃盟誓。白狄及君同州，君之仇雠，而我之昏姻也。君来赐命曰：‘吾与女伐狄。’寡君不敢顾昏姻，畏君之威，而受命于吏。君有二心于狄，曰：‘晋将伐女。’狄应且憎，是用告我。楚人恶君之二三其德也，亦来告我曰：‘秦背令狐之盟，而来求盟于我。昭告昊天上帝、秦三公、楚三王[⑩]，曰：余虽与晋出入，余唯利是视。不谷恶其无成德，是用宣之，以征不壹。’诸侯备闻此言，斯是用痛心疾首，昵就寡人。寡人帅以听命，唯好是求。君若惠顾诸侯，矜哀寡人而赐之盟，则寡人之愿也，其承宁诸侯以退，岂敢徼乱？君若不施大惠，寡人不佞，其不能以诸侯退矣。敢尽布之执事，俾执事实图利之。”

【注释】

①吕相绝秦：吕相，亦名魏相。绝秦，与秦国断交。下文当为晋之“绝秦书”。五月，晋师与诸侯之师伐秦，战于麻隧，秦师败绩。

②重之以昏姻：晋献公之女嫁给秦穆公为夫人。

③无禄：不再食奉禄，与下文“即世”均言死去。

④韩之师：指僖公十五年秦、晋在韩地的战争。

⑤费滑：费为滑国都城，故费滑即滑国。

⑥康公，我之自出：康公母为晋女穆姬，故康公是晋国的外甥。

⑦蟊贼：吃庄稼的害虫。此指公子雍，文公子，曾仕秦为亚卿。事见文公六年、七年。

⑧东道之不通：晋在秦东，东道不通则谓秦、晋不再友好往来。

⑨辅氏之聚：在辅氏这个地方打的一仗。聚，聚众抵抗。

⑩秦三公：穆公、康公、共公；楚三王：成王、穆王、庄王。

【译文】

夏四月初五日，晋厉公派遣吕相去和秦国断绝外交关系，说：

“从前我先君晋献公和贵国先君秦穆公互相友好，合力同心，用盟誓来表明，再用联姻加深这种关系。上天降祸于晋国，文公到了齐国，惠公到了秦国。不幸，献公去世。穆公不忘记过去的恩德，使我们的惠公能够回来在晋国主持祭祀，但又不能完成重大的勋劳，而有了韩地之战。后来心里又有些懊悔，因此成就了我们文公回国为君，这都是秦穆公的功劳啊。

“文公亲自身披甲胄，跋涉山川，经历艰难险阻，征服东方的诸侯，

虞、夏、商、周的后裔都向秦国朝见，也就已经报答了过去的恩德了。郑国人侵犯君王的边界，我们文公率领诸侯和秦国共同包围郑国，秦国的大夫不和我们国君商量，擅自和郑国订立了盟约。诸侯憎恨这件事，打算和秦国拼命，文公恐惧，安抚诸侯，使秦军得以平安回国而没有受到损害，这就是我国有大功于西方秦国的地方。

“不幸，文公去世，穆公不善，蔑视我们故去的国君，以为我们襄公软弱可欺，突然侵犯我们殽地，断绝我们同友好国家的往来，攻打我们的城堡，绝灭我们的滑国，离散我们的兄弟之邦，扰乱我们的同盟之国，颠覆我们的国家。我们襄公没有忘记君王过去的勋劳，而又害怕自己的国家颠覆，这样才有殽地这一战役。但还是愿意在穆公那里得到和解。穆公不听，反而勾结楚国来打我们的主意。天意保佑我国，楚成王丧命，穆公的意愿因此不能在我国得逞。

“穆公、襄公去世，康公、灵公即位。康公，是我国穆姬所生的，但又想损害我们的公室，颠覆我们的国家，率领我国的内奸，以动摇我们的边疆，因此我国才有了令狐这一战役。秦康公还是不肯改悔，又进入我国河曲，攻打我国涑川，掠取我国王官，割断我国的羁马，因此我国才有了河曲这一战役。东边的道路不通，那是由于康公同我们断绝友好造成的。

“等到你们的君王秦桓公继位以后，我们的国君晋景公伸着脖子望着西边说：‘大概要安抚我们了吧！’桓公也不肯加惠结盟，反而乘我们有狄人的祸难，侵入我国的河县，焚烧我国的箕地、郜地，抢割我国的庄稼，骚扰我国边境，我国因此而有辅氏的战役。桓公也后悔战祸的蔓延，而想求福于先君晋献公和秦穆公，派遣伯车前来命令我们景公说：‘我跟你同心同德，丢弃怨恨，重温以往的恩惠，以追念以前的勋劳。’盟誓还没有完成，我们的景公就去世了，因此我们国君厉公才和秦国有令狐的会见。桓公又不善，背弃了盟约。白狄和你们的君王同在雍州境内，他们是你们的仇敌，却是我们的亲戚。桓公前来命令说：‘我跟你一块攻打狄人。’寡君不敢顾及亲戚，畏惧你们君王的威严，就对官吏下令攻打狄人。但你们君王又对狄人有了别的念头，告诉他们说：‘晋国将要攻打你们。’对君王的做法，狄人接受而又厌恶，因此就告诉了我们。楚国人讨厌你们君王的反复无常，也来告诉我们说：‘秦国背弃了令狐的盟约，而来向我国请求结盟。对着皇天上帝、秦国的三位先公、楚国的三位先王祝告：我虽然和晋国有往来，我只是唯利是图。我们楚国的君王讨厌秦君反复无常，因此把事情公布出来，以惩戒言行不一的人。’诸侯都听到了这些话，因此才痛心疾首，都来和我们亲近。我们率领诸侯以听候你们秦国君王的命令，只是为了请求和好。君王如果加惠而顾念诸侯，怜悯我们，而赐我们以结盟，那是我们的愿望。那我们就可以安定诸侯而退走，岂敢自求祸乱？如果君王不施大恩大惠，恕我不才，恐怕就不能率领诸侯退走了。谨把内心的话向您的左右执事宣布，请执事权衡利害吧。”

鄢陵之战

(成公十六年)

【原文】

晋侯将伐郑[1]，范文子曰："若逞吾愿，诸侯皆叛，晋可以逞[2]。若唯郑叛，晋国之忧，可立俟也。"栾武子曰："不可以当吾世而失诸侯，必伐郑。"乃兴师。栾书将中军，士燮佐之；郤锜将上军，荀偃佐之；韩厥将下军，郤至佐新军。荀罃居守。郤犨如卫，遂如齐，皆乞师焉。栾黡来乞师，孟献子曰："晋有胜矣。"戊寅，晋师起。

郑人闻有晋师，使告于楚，姚句耳与往。楚子救郑。司马将中军，令尹将左，右尹子辛将右。过申，子反入见申叔时，曰："师其何如？"对曰："德、刑、详、义、礼、信，战之器也。德之施惠，刑以正邪，详以事神，义以建利，礼以顺时，信以守物。民生厚而德正，用利而事节，时顺而物成。上下和睦，周旋不逆，求无不具，各知其极。故《诗》曰[3]：'立我烝民，莫匪尔极。'是以神降之福，时无灾害，民生敦厖，和同以听，莫不尽力以从上命，致死以补其阙，此战之所由克也。今楚内弃其民而外绝其好，渎齐盟而食话言，奸时以动而疲民以逞。民不知信，进退罪也。人恤所底，其谁致死？子其勉之！吾不复见子[4]矣。”姚句耳先归，子驷问焉，对曰：“其行速，过险而不整。速则失志，不整，丧列。志失列丧，将何以战？楚惧不可用也。”

五月，晋师济河。闻楚师将至，范文子欲反，曰：“我伪逃楚，可以纾忧。夫合诸侯，非吾所能也，以遗能者，我若群臣辑睦以事君，多矣。”武子曰：“不可。”

六月，晋、楚遇于鄢陵[5]。范文子不欲战。郤至曰：“韩之战，惠公不振旅；箕之役，先轸不反命；邲之师，荀伯不复从。皆晋之耻也。子亦见先君之事矣。今我辟楚，又益耻也。”文子曰：“吾先君之亟战也，有故。秦、狄、齐、楚皆强，不尽力，子孙将弱。今三强服矣，敌，楚而已。惟圣人能内外无患。自非圣人，外宁必有内忧，盍释楚以为外惧乎？”

甲午晦，楚晨压晋军而陈。军吏患之。范匄趋进，曰："塞井夷灶，陈于军中，而疏行首。晋、楚唯天所授，何患焉？"文子执戈逐之，曰："国之存亡，天也。童子何知焉？"栾书曰："楚师轻窕，固垒而待之，三日必退。退而击之，必获胜焉。"郤至曰："楚有六间⑥，不可失也。其二卿相恶；王卒以旧；郑陈而不整；蛮军而不陈；陈不违晦；在陈而嚣，合而加嚣，各顾其后，莫有斗心。旧不必良，以犯天忌，我必克之。"

楚子登巢车⑦以望晋军。子重使太宰伯州犁⑧侍于王后。王曰："骋而左右，何也？"曰："召军吏也。""皆聚于中军矣。"曰："合谋也。""张幕矣。"曰："虔卜于先君也。""彻幕矣。"曰："将发命也。""甚嚣，且尘上矣。"曰："将塞井夷灶而为行也。""皆乘矣，左右执兵而下矣。"曰："听誓也。""战乎？"曰："未可知也。""乘而左右皆下矣。"曰："战祷也。"伯州犁以公卒告王。苗贲皇⑨在晋侯之侧，亦以王卒告。皆曰："国士在，且厚，不可当也。"苗贲皇言于晋侯曰："楚之良，在其中军王族而已。请分良以击其左右，而三军萃于王卒，必大败之。"公筮之，史曰："吉。其卦遇复☷，曰：'南国蹙，射其元王，中厥目。'国蹙王伤，不败何待？"公从之。

有淖于前，乃皆左右相违于淖。步毅御晋厉公，栾鍼为右。彭名御楚共王，潘党为右。石首御郑成公，唐苟为右。栾、范以其族夹公行。陷于淖。栾书将载晋侯。鍼曰："书退，国有大任，焉得专之？且侵官，冒也；失官，慢也；离局，奸也。有三罪焉，不可犯也。"乃掀公以出于淖。

癸巳，潘尪之党与养由基蹲甲而射之，彻七札焉。以示王，曰："君有二臣如此，何忧于战？"王怒曰："大辱国[10]，诘朝尔射，死艺。"吕锜梦射月，中之，退入于泥。占之，曰："姬姓，日也；异姓，月也，必楚王也。射而中之，退入于泥，亦必死矣。"及战，射共王中目。王召养由基，与之两矢，使射吕锜，中项，伏弢。以一矢复命。

郤至三遇楚子之卒，见楚子，必下，免胄而趋风。楚子使工尹襄问之以弓，曰："方事之殷也，有韎韦之跗注[11]，君子也。识见不谷而趋，无乃伤乎？"郤至见客，免胄承命，曰："君之外臣至从寡君之戎事，以君之灵，间蒙甲胄，不敢拜命。敢告不宁，君命之辱。为事之故，敢肃使者。"三肃使者而退。

晋韩厥从郑伯，其御杜溷罗曰："速从之！其御屡顾，不在马，可及也。"韩厥曰："不可以再辱国君。"乃止。郤至从郑伯，其右茀翰胡曰："谍辂之，余从之乘，而俘以下。"郤至曰："伤国君有刑。"亦止。石首曰："卫懿公唯不去其旗，是以败于莒[12]。”乃内旌于韬中。唐苟谓石首曰：“子在君侧，败者壹大。我不如子，子以君免，我请止。”乃死。

楚师薄于险，叔山冉谓养由基曰：“虽君有命，为国故，子必射。”乃射，再发，尽殪。叔山冉搏人以投，中车，折轼。晋师乃止。囚楚公子茷。

栾鍼见子重之旌，请曰：“楚人谓夫旌，子重之麾也，彼其子重也。日臣之使于楚也，子重问晋国之勇，臣对曰：‘好以众整。’曰：‘又何如？’臣对曰：‘好以暇。’今两国治戎，行人不使，不可谓整；临事而食言，不可谓暇。请摄饮焉。”公许之，使行人执榼承饮[13]，造于子重，曰：“寡君乏使，使鍼御持矛，是以不得犒从者，使某摄饮。”子重曰：“夫子尝与吾言于楚，必是故也。不亦识乎！”受而饮之，免使者而复鼓。旦而战，见星未已。

子反命军吏察夷伤，补卒乘，缮甲兵，展车马，鸡鸣而食，唯命是听。晋人患之。苗贲皇徇曰：“蒐乘补卒，秣马利兵，修陈固列，蓐食[14]申祷，明日复战。”乃逸楚囚。王闻之，召子反谋。谷阳竖献饮于子反，子反醉而不能见。王曰：“天败楚也夫！余不可以待。”乃宵遁。

晋入楚军，三日谷。范文子立于戎马之前，曰：“君幼，诸臣不佞，何以及此？君其戒之！

《周书》曰[15]‘惟命不于常’，有德之谓。”

楚师还，及瑕，王使谓子反曰：“先大夫[16]之覆师徒者，君不在。子无以为过，不谷之罪也。”子反再拜稽首曰：“君赐臣死，死且不朽。臣之卒实奔，臣之罪也。”子重使谓子反曰：“初陨师徒者，而亦闻之矣，盍图之！”对曰：“虽微先大夫有之，大夫命侧，侧敢不义？侧亡君师，敢忘其死？”王使止之，弗及而卒。

【注释】

①晋侯将伐郑：本年春，楚以汝阳之田求成于郑，郑与楚盟于武城，叛晋，故晋侯欲伐之。

②晋可以逞：前面“若逞吾愿”之“逞”为满足之意，“晋可以逞”之“逞”为缓和。此句系范文子(士燮)认为晋国君臣骄侈，必须受到像诸侯都背叛那样的教训，才会引起警戒，多难兴邦。

③《诗》曰：《诗经·周颂·思文》句。

④不复见子：子即公子侧子反。申叔时预见到楚军必败，子反必死。

⑤鄢陵：即《郑伯克段于鄢》之鄢地，今属河南。

⑥六间：间，间隙，空子。六间，六个可利用的空子。以下六句即说此六间。

⑦巢车：配备有瞭望小楼的兵车，可以登高望远。

⑧伯州犁：晋国伯宗之子，伯宗被害，逃到楚国，任太宰。

⑨苗贲皇：楚国斗椒之子，若敖之乱时奔晋。事见宣公四年。

⑩大辱国：责骂之语，骂潘党与养由基自恃箭艺，有勇无谋。

⑪韎韦之跗注：韎，浅红色。韦，柔牛皮。跗，脚背。注，连属。跗注即

长及脚背的军裤。

⑫败于萏:卫与狄战于萏,卫师大败,懿公被杀。事见闵公二年。

⑬执榼承饮:榼,酒器;承,奉献。拿着酒器代为向子重敬酒。

⑭蓐食:蓐,丰厚。蓐食是说战前让士卒们饱餐一顿。

⑮《周书》曰:《尚书·康诰》文。

⑯先大夫:指子玉,城濮之战时因兵败,自杀谢罪。事见僖公二十八年。

【译文】

晋厉公打算讨伐郑国,范文子说:"如果按照我的愿望,诸侯都背叛,晋国的危机反而可以得到缓解。如果只是一个郑国背叛,晋国的忧患,可能马上就来了。"栾武子说:"不能赶到我们这一辈执政的时候失去诸侯,一定要进攻郑国。"于是发兵。栾书率领中军,士燮作为辅佐;郤锜率领上军,荀偃作为辅佐;韩厥率领下军,郤至作为新军辅佐。荀罃在国内留守。郤犨去到卫国,乘机到齐国,请求两国出兵。栾黡前来鲁国请求出兵,孟献子说:"晋国可能得胜了。"四月十二日,晋军出兵。

郑国人听到晋国出兵,就派使者报告楚国,姚句耳同行。楚共王救援郑国。司马子反率领中军,令尹子重率领左军,右尹子辛率领右军。路过申地,子反进见申叔时,说:"这次作战会怎么样?"申叔时回答说:"德行、刑罚、和顺、道义、礼法、信用,这是战争的手段。德行用来施予恩惠,刑罚用来纠正邪恶,和顺用来事奉神灵,道义用来建立利益,礼法用来适合时宜,信用用来护守事物。人民生活丰厚,德行就端正,举动有利,事情就合于法度;时宜合适,万物就有所成就。这样就能上下和睦,相处没有矛盾,有所需求无不具备,各人都知道行动的准则。所以《诗》说:'安置百姓,无不合乎准则。'这样,神灵就会降福于他，四时没有灾害，百姓生活丰厚，齐心一致地听从，没有不尽力以服从上面命令的，不顾性命来弥补死去的战士的空缺，这就是战争所以能够胜利的原因。现在楚国内部丢弃它的百姓，外部断绝它的友好，亵渎神圣的盟约而说话不算话，违反时令发动战争，使百姓疲劳以求快意。人们不知道什么是信用，进退都是罪过。人们为他们的结局在担忧，还有谁肯牺牲性命？您还是尽力去做吧！我不会再看到您了。”姚句耳先回来，子驷询问情况，他回答说：“楚军行军迅速，经过险要的地方行列不整齐。动作太快就会考虑不周，不整齐就丧失了行列。考虑不周，行列丧失，怎么能打仗？楚国恐怕不能依靠了。”

五月，晋军渡过黄河。听说楚军将要到达，范文子想要回去，说：“我们假装逃避楚国，这样就能够缓和忧患。会合诸侯，不是我所能做到的，还是把它留给有能力的人去办吧。我们如果能群臣和睦以奉事国君，也就足够了。”栾武子说：“不行。”

六月，晋、楚两军在鄢陵相遇。范文子不想作战。郤至说：“韩地这一战，惠公失败归来；箕地这一役，先轸不能回国复命；邲地这一仗，荀伯不能再跟楚军周旋。这都是晋国的耻辱。您也了解先君时代的情况了。现在我们逃避楚国，这又是增长耻辱。”范文子说：“我们先君的屡次作战，是有原因的。秦国、狄人、齐国、楚国都很强大，如果我们不尽自己的力量，子孙将会被削弱。现在三强已经顺服，敌人仅楚国而已。只有圣人才能够外部内部都没有祸患。如果不是圣人，外部安定，内部必定还有忧患，何不放掉楚国把它作为外部的戒惧呢？”

三十晦日，楚军在清早逼近晋军而摆开阵势。晋国的军吏担心这情况。范文子的儿子范匄快步向前，说：“填井平灶，就在军营中摆

开阵势，把行列间的距离放宽。晋、楚两国都是上天的赐予，有什么可担心的？”范文子拿起戈来驱逐他，说：“国家的存亡，这是天意，小孩子知道什么？”栾书说：“楚军轻佻，加固营垒而等待他们，三天一定退军。乘他们退走而加以追击，一定可以得胜。”郤至说：“楚国有六个空子可以利用，不可失掉。楚国的两个卿互相排斥；楚共王的亲兵们从旧家中选拔，都已衰老；郑国虽然摆开阵势却不整齐；蛮人虽有军队却摆不成阵势；楚军摆阵不避晦日；士兵在阵中喧闹，与敌军相遇就更加喧闹，各军彼此观望，没有战斗意志。旧家出身的士兵不一定精良，所以这些都触犯了天意和兵家大忌。我们一定能战胜他们。”

楚共王登上楼车瞭望晋军。子重让太宰伯州犁侍立楚王身后。楚王说：“车子向左右驰骋干什么？”伯州犁说：“这是召集军吏。”“都聚集在中军了。”伯州犁说：“这是一起谋划。”“帐幕张开了。”伯州犁说：“这是在先君的神主前占卜。”“帐幕撤除了。”伯州犁说：“这是将要发布命令了。”“喧闹得厉害，而且尘土都飞扬起来了。”伯州犁说：

"这是准备填井平灶摆开阵势。""都登上战车了，将帅和车右都拿着武器下车了。"伯州犁说："这是宣布号令。""他们要作战吗？"伯州犁说："还不能知道。""晋军上了战车，将帅和车右又下来了。"伯州犁说："这是战前的祈祷。"伯州犁把晋厉公亲兵的情况向楚共王报告。苗贲皇在晋厉公的旁边，也把楚共王亲兵的情况向晋厉公报告。晋厉公左右的将士们都说："有国家中杰出的人物在那里，而且军阵厚实，不能抵挡。"苗贲皇对晋厉公说："楚国的精兵在于他们中军的王族而已。请求把我们的精兵分开去攻击他们的左右军，再集中三军攻打楚王亲兵，一定可以把他们打得大败。"晋厉公让太史占筮。太史说："吉利。得到复卦三。卦辞说：'南方的国家局促，射它的国王，箭头可以中他的眼。'国家局促，国王受伤，不失败，还等待什么？"晋厉公听从了。

晋军营前头有泥沼，于是晋军都或左或右地避开泥沼而行。步毅驾御晋厉公的战车，栾鍼作为车右。彭名驾御楚共王的战车，潘党作为车右。石首驾御郑成公的战车，唐苟作为车右。栾、范领着他们私族部队左右护卫着晋厉公前进。战车陷在泥沼里。栾书打算将晋厉公装载在自己车上。他儿子栾鍼说："书退下去！国家有大事，你哪能一人包办了？而且侵犯别人的职权，这是冒犯；丢弃自己的职责，这是怠慢；离开自己的部下，这是扰乱。有三条罪名，这是不能碰的。"于是就掀起晋厉公的战车离开泥沼。

六月二十九日那天，潘尪的儿子党和养由基把皮甲重叠而射它，穿透了七层。拿去给楚共王看，说："君王有这样两个臣下在这里，还担心什么打仗？"楚共王发怒说："真丢人！明早作战，你们将会死在所夸耀的射箭技艺上。"吕锜梦见自己射月亮，射中，自己却退进了泥里。占卜，说："姬姓，是太阳；异姓，是月亮，这一定是楚共王了。射中了他，自己又退进泥里，也一定会战死。”等到作战时，吕锜射中了楚共王的眼睛。楚共王召唤养由基，给他两支箭，让他射吕锜。结果射中吕锜的脖子，伏在弓套上死了。养由基拿了剩下的一支箭向楚共王复命。

郤至三次碰到楚共王的士兵，见到楚共王时，一定下车，脱下头盔，快步向前走。楚共王派工尹襄送上一张弓去问候，说：“正当战事激烈的时候，有一位身穿浅红色牛皮军服的人，是君子啊！刚才见到我而快走，恐怕是受伤了吧！”郤至见到客人，脱下头盔接受命令，说：“贵国君王的外臣郤至跟随寡君作战，托君王的福，参与了披甲的行列，不敢拜谢您的命令。谨向君王报告没有受伤，感谢君王惠赐给我的命令。由于战事的缘故，谨向使者肃拜。”三次向使者肃拜以后才退走。

晋国的韩厥追赶郑成公，他的车夫杜溷罗说：“赶快追上去！他们的御者屡屡回头看，注意力不在马上，可以赶上。”韩厥说：“不能再次羞辱国君。”于是就停止追赶。郤至追赶郑成公，他的车右茀翰胡说：“另外派轻车从小道迎击，我追上他的战车而把他俘虏下来。”郤至说：“伤害国君要受到刑罚。”也停止了追赶。石首说：“卫懿公由于不去掉他的旗子，所以才在荥地战败。”于是就把旗子放进弓袋里。唐苟对石首说：“您在国君旁边，战败者应该一心保护国君。我不如您，您带着国君逃走，我请求留下。”于是唐苟就战死了。

楚军被逼在险阻的地方，叔山冉对养由基说：“虽然国君有命令，为了国家的缘故，您一定要射箭。”养由基就射向晋军，再射，被射的人都被射死。叔山冉举起晋国人掷过去，掷中战车，折断了车前的横木。晋军于是停下来。囚禁了楚国的公子茷。

栾鍼见到子重的旌旗，请求说：“楚国人说那面旌旗是子重的旗号，他恐怕就是子重吧。当初下臣出使到楚国，子重问起晋国的勇武表现在哪里，下臣回答说：‘喜好整齐，按部就班。’子重说：‘还有什么？’下臣回答说：‘喜好从容不迫。’现在两国兴兵，不派遣使者，不能说是按部就班；临到事情而说话不算数，不能说是从容不迫。请君王派人替我给子重进酒。”晋厉公答应了，派遣使者拿着酒器奉酒，到了子重那里，说：“寡君缺乏使者，让栾鍼执矛侍立在他左右，因此不能犒赏您的从者，派我前来代他送酒。”子重说：“他老人家曾经跟我在楚国说过一番话，送酒来一定是这个原因。他的记忆力不也是很强吗？”受酒而饮，不留难使者而重新击鼓。早晨开始作战，直至见到星星还没有结束。

子反命令军官视察伤情，补充步兵车兵，修理盔甲武器，摆列战车马匹，鸡叫的时候吃饭，唯主帅的命令是听。晋国因此担心。苗贲皇通告全军说：“检阅战车，补充士卒，喂好马匹，磨快武器，整顿军阵，巩固行列，饱餐一顿，再次祷告，明天再战！”就故意放松楚国的俘虏让他们逃走。楚共王听到这些情况，召子反一起商量。谷阳竖献酒给子反，子反喝醉了不能进见。楚共王说：“这是上天要让楚国失败啊！我不能等着。”于是在夜里逃走了。

晋军进入楚国军营，吃了三天楚军留下的粮食。范文子站在兵马前面，说：“君王年幼，下臣们不才，怎么能得到这个结果？君王还是要警惕啊！《周书》上说‘天命不能常在不变’，说的是有德的人才可以享有天命。”

楚军回去，到达瑕地，楚共王派人对子反说：“先大夫让军队覆没，当时国君不在军中。现在您没有过错，这次我在军中，是我的罪过。”子反再拜叩头说：“君王赐下臣一死，死而不朽。下臣的士兵的确败逃了，这是下臣的罪过。”子重也派人对子反说：“当初让军队覆没的人，他的结果你也听到过了。何不自己打算一下！”子反回答说：“即使没有先大夫自杀谢罪的事，大夫命令侧死去，侧岂敢贪生而陷于不义？侧使国君的军队败亡，岂敢忘记一死？”楚共王派人阻止他，没来得及，子反就自杀了。

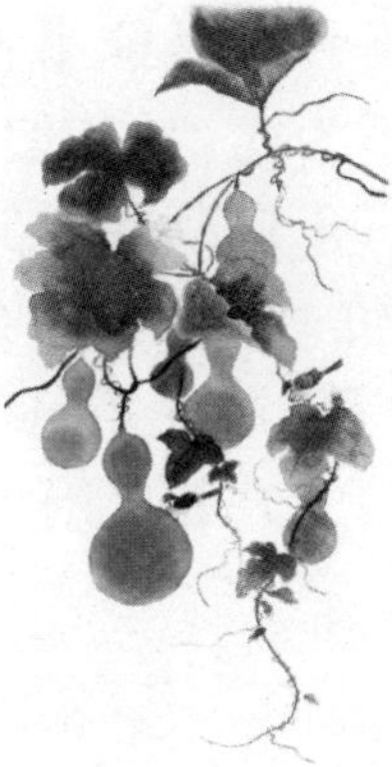

祁奚举贤

（襄公三年）

【原文】

祁奚[①]请老，晋侯问嗣焉。称解狐，其仇也，将立之而卒。又问焉，对曰："午也可。"于是羊舌职死矣，晋侯曰："孰可以代之？"对曰："赤也可。"于是使祁午为中军尉，羊舌赤[②]佐之。

君子谓祁奚："于是能举善矣。称其仇，不为谄；立其子，不为比；举其偏，不为党。《商书》曰[③]：'无偏无党，王道荡荡。'其祁奚之谓矣。解狐得举，祁午得位，伯华得官，建一官而三物成，能举善也。夫唯善，故能举其类。《诗》云[④]：'惟其有之，是以似之'。祁奚有焉。"

【注释】

①祁奚：字黄羊，晋大夫。

②赤：即羊舌赤，字伯华，羊舌职之子。

③《商书》曰：《尚书·洪范》文。

④《诗》云：《诗经·小雅·裳裳者华》句。

【译文】

祁奚请求告老退休，晋悼公问由谁来接替他好。祁奚推举解狐。

解狐，是祁奚的仇人，晋悼公打算任用他，他却死了。晋悼公又问祁奚，祁奚回答说："祁午也可以胜任。"这时候，祁奚的副将羊舌职死了，晋悼公说："谁可以接替他？"祁奚回答说："羊舌赤可以胜任。"于是，晋悼公就任命祁午做中军尉，羊舌赤为副职。

君子认为："祁奚在这种情况下能够推举有德行的人。举荐他的仇人而不是谄媚，安排他的儿子而不是勾结，推举他的副手而不是结党。《商书》说：'不偏私不结党，君王之道浩浩荡荡。'这说的就是祁奚啊。解狐能被推举，祁午能被安排，羊舌赤能有官位，建立一个官位而成全三件事，这是由于能够推举好人的缘故啊。只因为他有德行，才能推举类似他的好人。《诗》上说：'正因为具有美德，推举的人才能和他相似。'祁奚就是这样的人啊。"

师旷论卫人出其君

(襄公十四年)

【原文】

师旷[①]侍于晋侯。晋侯曰:“卫人出[②]其君,不亦甚乎?”对曰:“或者其君实甚。良君将赏善而刑淫,养民如子,盖之如天,容之如地;民奉其君,爱之如父母,仰之如日月,敬之如神明,畏之如雷霆,其可出乎?夫君,神之主而民之望也。若困民之生,匮神之祀,百姓绝望,社稷无主,将安用之?弗去何为?天生民而立之君,使司牧之,勿使失性;有君而为之贰,使师保之,勿使过度。是故天子有公,诸侯有卿,卿置侧室,大夫有贰宗,士有朋友,庶人、工、商、皂、隶、牧、圉皆有亲昵,以相辅佐也。善则赏之,过则匡之,患则救之,失则革之。自王以下,各有父兄子弟以补察其政。史为书,瞽为诗,工诵箴谏,大夫规诲,士传言,庶人谤,商旅于市,百工献艺。故《夏书》曰[③]:‘遒人以木铎徇于路,官师相规,工执艺事以谏。’正月孟春,于是乎有之,谏失常也[④]。天之爱民甚矣!岂其使一人肆于民上,以从其淫而弃天地之性?必不然矣!”

【注释】

①师旷：字子野，晋乐师。善音律，能以声音辨吉凶。

②出：驱逐。

③《夏书》曰：《夏书》已逸，所引文可见伪《古文尚书·胤征篇》。

④“正月孟春”句：古时正月初春有宣令官摇着木铎巡行各地，老百姓有机会向官府进言。

【译文】

师旷随侍在晋悼公身边。晋悼公说：“卫国人赶走他们的国君，不是太过分了吗？”师旷回答说：“或许是他们的国君太过分了。好的国君将奖赏善良，惩治邪恶，抚养百姓有如儿女，覆盖他们有如苍天，容纳他们有如大地；老百姓侍奉自己的国君，爱戴他好像父母，敬仰他好像日月，尊敬他好像神灵，害怕他好像雷霆，哪能赶走他？国君，是祭神的主持者和百姓的希望啊。如果让百姓的财物缺少，神灵失去主祭人，百姓断绝了希望，国家没有了主人，哪里会用得着他？不赶走他做什么？上天生下老百姓并且立他们的国君，让他统治他们，不使他们失掉天性；有了国君还为他设置卿大夫辅佐，让他们去教诲保护他，不让他做事过分。因此天子有公，诸侯有卿，卿设立侧室，大夫有贰宗，士有朋友，庶人、工、商、皂、隶、牧、圉都有亲近的人，用来互相帮助。善良就赞扬，过头就纠正，患难就救助，错误就革除。从天子以下各有父兄子弟来补救观察他们的政令过失。太史加以记载，乐师写作诗歌，乐工诵读箴谏，大夫规劝开导，士可以传话，庶人能够指责，商人在市场上议论，各种工匠奉献技艺。所以《夏书》说：‘宣布教化的官员摇着木铎在大路上巡行，官长规劝，工匠奉献技艺以劝谏。’正月初春，这时候就有官员在大道上摇动木铎，这是因为劝谏失去了常规的缘故。上天爱护百姓是非常周到的，难道会让某一个人在百姓头上胡作非为，放纵他的邪恶而失去天地的本性吗？一定是不会这样的！”

子罕辞宝

(襄公十五年)

【原文】

宋人或得玉，献诸子罕[①]。子罕弗受。献玉者曰："以示玉人，玉人以为宝也，故敢献之。"子罕曰："我以不贪为宝，尔以玉为宝。若以与我，皆丧宝也，不若人有其宝。"稽首而告，曰："小人怀璧，不可以越乡[②]。纳此以请死也。"子罕置诸其里，使玉人为之攻之，富而后使复其所。

【注释】

①子罕：即乐喜，亦名司城子罕，宋大夫，曾主宋政，以贤能闻名。

②小人怀璧，不可以越乡：杜预注曰"言必为盗所害"。

【译文】

宋国有人得到了一块美玉，献给子罕。子罕不接受。献玉的人说:“我拿给玉工看过,玉工认为是个宝物,所以才敢把它献给您。”子罕说:“我把不贪婪的品德作为宝物,你把美玉作为宝物。如果把美玉给了我,我们两个人都丧失了宝物。不如各人都保有自己的宝物。”献玉的人叩头,告诉子罕说:“小人怀藏着玉璧,怕遭横祸,不敢穿越乡里。把它送给您是用来请求免于一死的啊。”子罕就把美玉放在自己的乡里,让玉工为他雕琢加工,卖出去。使献玉的人富有了之后,才把他送回到自己的家里。

崔杼弑齐庄公

(襄公二十五年)

【原文】

齐棠公之妻，东郭偃之姊也。东郭偃臣崔武子。棠公死，偃御武子以吊焉。见棠姜而美之，使偃取之。偃曰："男女辨姓[1]，今君出自丁，臣出自桓，不可。"武子筮之，遇《困》三之《大过》三。史皆曰："吉。"示陈文子，文子曰："夫从风，风陨妻，不可娶也。且其《繇》曰：'困于石，据于蒺藜，入于其宫，不见其妻，凶。'困于石，往不济也。据于蒺藜，所恃伤也。入于其宫，不见其妻，凶，无所归也。"崔子曰："嫠也，何害？先夫当之矣。"遂取之。

庄公通焉，骤如崔氏，以崔子之冠赐人。侍者曰："不可。"公曰："不为崔子，其无冠乎？"崔子因是，又以其间伐晋也，曰："晋必将报。"欲弑公以说于晋，而不获间。公鞭侍人贾举，而又近之，乃为崔子间公。

夏五月，莒为且于之役[2]故，莒子朝于齐。甲戌，飨诸北郭。崔子称疾，不视事。乙亥，公问崔子，遂从姜氏。姜入于室，与崔子自侧户出。公拊楹而歌。侍人贾举止众从者而入，闭门。甲兴，公登台而请，弗许；请盟，弗许；请自刃于庙，弗许。皆曰：“君之臣杼疾病，不能听命。近于公宫，陪臣干掫[3]有淫者，不知二命。”公逾墙，又射之，中股，反队，遂弑之。贾举[4]、州绰、邴师、公孙敖、封具、铎父、襄伊、偻堙皆死。祝佗父祭于高唐，至，复命，不说弁而死于崔氏。申蒯，侍渔者，退，谓其宰曰：“尔以帑免，我将死。”其宰曰：“免，是反子之义也。”与之皆死。崔氏杀鬷蔑于平阴。

晏子[5]立于崔氏之门外，其人曰：“死乎？”曰：“独吾君也乎哉，吾死也？”曰：“行乎？”曰：“吾罪也乎哉，吾亡也？”曰：“归乎？”曰：“君死，安归？君民者，岂以陵民？社稷是主。臣君者，岂为其口实，社稷是养。故君为社稷死，则死之；为社稷亡，则亡之。若为己死，而为己亡，非其私昵，谁敢任之？且人有君而弑之[6]，吾焉得死之，而焉得亡之？将庸何归？”门启而入，枕尸股而哭。兴，三踊而出。人谓崔子：“必杀之！”崔子曰：“民之望也，舍之，得民。”

卢蒲癸奔晋，王何奔莒。

叔孙宣伯[7]之在齐也，叔孙还纳其女于灵公。嬖，生景公。丁丑，崔杼立而相之。庆封为左相。盟国人于大宫，曰：“所不与崔、庆者——”晏子仰天叹曰：“婴所不唯忠于君、利社稷者是与，有如上帝。”乃歃[8]。辛巳，公与大夫及莒子盟。

大史书曰："崔杼弑其君。"崔子杀之。其弟嗣书而死者，二人。其弟又书，乃舍之。南史氏[9]闻大史尽死，执简以往。闻既书矣，乃还。

【注释】

①男女辨姓：辨，分别，辨别。古时同姓不婚，崔氏出自丁公，东郭氏出自桓公，同为姜姓，所以不能相互嫁娶。

②且于之役：事见襄公二十三年传。

③干掫：干同扞，捍卫。掫，音 zōu，巡夜。

④贾举：非前侍人贾举，此贾举、州绰等八人皆齐勇力之士，为庄公近臣，与公共死于崔氏之乱。

⑤晏子：即晏平仲，名婴，晏弱（桓子）之子，齐大夫。

⑥且人有君而弑之：襄公十九年传，齐灵公废太子光而改立公子牙，高厚傅牙。灵公疾，崔杼复立光为太子。灵公卒，光即位为庄公，崔杼杀高厚。庄公实为崔杼所立，今又杀之。

⑦宣伯：鲁叔孙侨如，成公十六年奔齐。

⑧乃歃：晏子如果不从崔杼之盟，将会被杀。所以他抢话改易盟词之后，才和崔氏歃血定盟。

⑨南史氏：与太史氏同为古代史官。太史氏书"崔杼弑其君"，连死三人，等其四弟又书，没有被杀。南史氏以为太史兄弟被杀死完了，崔杼之罪没人续写，故又执简以往。

【译文】

齐国棠邑大夫的妻子，是东郭偃的姐姐。东郭偃做崔杼的家臣。棠邑大夫死了，东郭偃为崔杼驾车去吊唁。崔杼见了棠姜，觉得她长得很美，让东郭偃为他娶过来。东郭偃说："男女要辨别姓氏，现在您是丁公的后代，下臣我是桓公的后代，这是不可以的。"崔杼为之占筮，得到困卦三变成大过三，太史都说"吉利"，拿给陈文子看，陈文子说："丈夫跟从风，风坠落妻子，不能娶啊。而且它的爻辞上说：'被石头困着，据守在蒺藜丛里，进了他的屋子，见不到他的妻子，凶。'被石头困住，这意味着前去不能成功；据守在蒺藜丛里，这意味着所依靠的东西会使人受伤。进了屋，见不到妻子，凶，这意味着无所归宿。"崔杼说："她是个寡妇，有什么妨碍？他死去的丈夫已经承担过这凶兆了。"于是就娶了她。

齐庄公和棠姜私通，屡次到崔家去，把崔杼的帽子拿来赐给别人。侍从说："这样不行。"齐庄公说："不用崔杼的帽子，难道就没有帽子可用了？"崔杼由此怀恨齐庄公。又因为齐庄公乘晋国的动乱而攻打晋国，崔杼说："晋国必然要报复。"想杀死齐庄公来让晋国高兴，但一直没有得到机会。齐庄公曾鞭打过侍人贾举，后来又亲近他，贾举就为崔杼找机会杀死齐庄公。

夏五月，莒国由于且于这次战役的缘故，莒子到齐国来朝见。十六日这一天，齐庄公在北城设享礼招待他。崔杼推说自己有病，不去办公。十七日，齐庄公去问候崔杼，乘机又跟棠姜混在一起。棠姜进入内室，和崔杼从侧门出去。齐庄公拍着楹柱唱歌。侍人贾举阻止庄公的随从人员入内，自己进入崔宅，关上了大门。甲士们一拥而起攻击庄公，齐庄公登上高台请求免其一死，不答应；请求结盟，不答应；请求在太庙自杀，不答应。大家都说："君王的下臣杼病得厉害，不能亲自来听取您的命令。这里靠近君王的宫室，陪臣巡夜搜捕淫乱的人，不知道有其他的命令。"齐庄公跳墙，有人用箭射他，射中了大腿，跌落在墙里边，于是就杀死了他。贾举、州绰、邴师、公孙敖、封具、铎父、襄伊、偻堙都被杀死。祝佗父在高唐祭祀,回到国都复命,没有脱掉祭服就在崔杼家里被杀死。申蒯,是管理渔业的人,退出来,对他的家臣头领说:“你保护着我的妻子儿女逃走吧,我准备一死。”他的家臣头领说:“如果我逃走,是违背了您的道义了啊。”就和申蒯一起自杀身死。崔氏一党还在平阴杀死了鬷蔑。

晏子站立在崔氏的门外边,他的手下人说:“死吗?”晏子说:“单是我一个人的国君吗,我去死?”手下的人说:“走吗?”晏子说:“是我的罪过吗,我逃亡?”手下的人说:“回去吗?”晏子说:“国君死了,回到哪里去?作为百姓的君主,难道能拿他的高位凌驾在百姓之上?他应当主持国政。作为君主的臣下,难道仅仅是为了自己的俸禄?他应当保养国家。所以说君主要是为国家而死,那么也就为他而死;为国家而逃亡,那么也就为他而逃亡。如果君主为自己而死,为自己而逃亡,不是他个人亲近的人,谁敢为他承担责任?而且有的人有了君主反而还杀了他,我哪里能为他而死?哪里能为他而逃亡?但是,又能回到哪里去啊?”大门打开,晏子进去,把头枕在齐庄公尸体的大腿上哭起来。哭完站起来,往上跳了三次以后才出去。有人对崔杼说:“一定要杀了他!”崔杼说:“他是百姓尊敬仰望的人,放了他,可以得民心。”

庄公的近臣卢蒲癸逃亡到晋国,王何逃亡到莒国。

叔孙宣伯在齐国的时候,叔孙还把叔孙宣伯的女儿送给齐灵公,受到宠爱,生了景公。十九日,崔杼立他为国君而辅佐他,庆封做左相,和国内的人们在太公的宗庙里结盟,说:“有不亲附崔氏、庆氏的——”晏子抢上话仰天叹气说:“婴如果不亲附忠君利国的人,有天帝为证!”于是就歃血从盟。二十三日,齐景公和大夫与莒子结盟。

太史记载说:“崔杼杀了他的国君。”崔杼杀死了太史。他的弟弟接着这样写，因而又被杀死了两个。第三个弟弟又这样写，崔杼就由他去了。南史氏以为太史兄弟都被崔杼杀死完了，照样这样写好竹简拿着前去，听到已经如实记载了，这才回去。

蔡声子论晋用楚材

（襄公二十六年）

【原文】

初，楚伍参与蔡大师子朝友，其子伍举与声子[1]相善也。伍举娶于王子牟。王子牟为申公而亡，楚人曰："伍举实送之。"伍举奔郑，将遂奔晋。声子将如晋，遇之于郑郊，班荆相与食，而言复故。声子曰："子行也，吾必复子。"

及宋向戌将平晋、楚，声子通使于晋，还如楚。令尹子木与之语，问晋故焉，且曰："晋大夫与楚孰贤？"对曰："晋卿不如楚，其大夫则贤，皆卿材也。如杞梓、皮革，自楚往也。虽楚有材，晋实用之。"子木曰："夫独无族姻乎？"对曰："虽有，而用楚材实多。归生闻之：善为国者，赏不僭而刑不滥。赏僭，则惧及淫人；刑滥，则惧及善人。若不幸而过，宁僭，无滥。与其失善，宁其利淫。无善人，则国从之。《诗》曰[2]'人之云亡，邦国殄瘁'，无善人之谓也。故《夏书》曰[3]'与其杀不辜，宁失不经'，惧失善也。《商颂》有之曰[4]：'不僭不滥，不敢怠皇。命于下国，封建厥福。'此汤所以获天福也。古之治民者，劝赏而畏刑，恤民不倦。赏以春夏，刑以秋冬。是以将赏，为之加膳，加膳则饫赐，此以知其劝赏也。将刑，为之不举，不举则彻乐，此以知其畏刑也。夙兴夜寐，朝夕临政，此以知其恤民也。三者，礼之大节也。有礼，无败。今楚多淫刑，其大夫逃死于四方，而为之谋主，以害楚国，不可救疗，所谓不能也。子仪之乱，析公奔晋，晋人置诸戎车之殿，以为谋主。绕角之役，晋将遁矣，析公曰：'楚师轻窕，易震荡也。若多鼓钧声，以夜军之，楚师必遁。'晋人从之，楚师宵溃。晋遂侵蔡，袭沈，获其君，败申、息之师于桑隧，获申丽而还。郑于是不敢南面。楚失华夏，则析公之为也。雍子之父兄谮雍子，君与大夫不善是也，雍子奔晋，晋人与之鄐，以为谋主。彭城之役，晋、楚遇于靡角之谷。晋将遁矣，雍子发命于军曰：'归老幼，反孤疾，二人役，归一人。简兵蒐乘，秣马蓐食，师陈焚次，明日将战。'行归者，而逸楚囚。楚师宵溃，晋降彭城而归诸宋，以鱼石归。楚失东夷，子辛死之，则雍子之为也。子反与子灵争夏姬，而雍害其事，子灵[⑤]奔晋，晋人与之邢，以为谋主，扞御北狄，通吴于晋，教吴叛楚，教之乘车、射御、驱侵，使其子狐庸为吴行人焉。吴于是伐巢、取驾、克棘、入州来，楚罢于奔命，至今为患，则子灵之为也。若敖之乱，伯贲之子贲皇奔晋，晋人与之苗，以为谋主。鄢陵之役，楚晨压晋军而陈。晋将遁矣，苗贲皇曰：‘楚师之良，在其中军王族而已，若塞井夷灶，成陈以当之，栾、范易行以诱之，中行、二郤必克二穆⑥，吾乃四萃于其王族，必大败之。’晋人从之，楚师大败，王夷师熸，子反死之。郑叛、吴兴，楚失诸侯，则苗贲皇之为也。”子木曰：“是皆然矣。”声子曰：“今又有甚于此者。椒举娶于申公子牟，子牟得戾而亡，君大夫谓椒举：‘女实遣之！’惧而奔郑，引领南望，曰：‘庶几赦余！’亦弗图也。今在晋矣。晋人将与之县，以比叔向。彼若谋害楚国，岂不为患？”子木惧，言诸王，益其禄爵而复之。声子使椒鸣逆之。

【注释】

①伍举：伍子胥之祖父椒举。声子：子朝之子，即公孙归生。

②《诗》曰：《诗经·大雅·瞻卬》句。

③《夏书》曰：《夏书》已佚，引句见伪《古文尚书·大禹谟》。

④《商颂》有之曰：见《诗经·商颂·殷武》。

⑤子灵：即楚之巫臣，曾为申尹，姓屈，故又称屈巫。子反与巫臣争夏姬事见成公二年传。

⑥二穆：指楚之子重、子辛。两人皆出自楚穆王，故曰二穆。

【译文】

当初，楚国的伍参和蔡国的太师子朝友好，他的儿子伍举和声子也互相友好。伍举娶了王子牟的女儿。王子牟为申公的时候因获罪而逃亡，楚国人说："伍举确实护送了他。"伍举逃亡到郑国，准备乘机再到晋国。声子打算去晋国，在郑国郊外碰到了他，把草铺在地上一起吃东西，谈到回楚国去的事，声子说："您走吧，我一定让您回去。"

等到宋国的向戌准备调解晋国和楚国的关系时，声子出使到晋国，回到楚国。令尹子木和他谈话，询问晋国的事，并且说："晋国的大夫和楚国的大夫谁更贤明？"声子回答说："晋国的卿不如楚国，晋国的大夫是贤明的，都是当卿的人才啊。好像杞木、梓木、皮革，都是楚国运去的。虽然楚国有人才，晋国却实在使用了他们。"子木说："他们没有同宗和亲戚吗？"声子回答说："虽然有，但使用楚国的人才确实多。归生听说：善于为国家做事的，赏赐不过分，而刑罚不滥用。赏赐过分，就怕及于坏人；刑罚滥用，就怕及于好人。如果不幸而有了不当，宁可过分，不要滥用。与其失掉好人，宁可利于坏人。没有好人，国家就跟着受害。《诗》说'这个能人不在，国家就遭受灾害'，这就是说没有好人。所以《夏书》说'与其杀害无辜，宁可对罪人失于刑罚'，这就是说怕失掉好人。《商颂》有这样的话说，'不过分不滥用，不敢懈怠偷闲，向下国发布命令，大大地建立他的福禄。'这就是汤所以获得上天赐福的原因。古代治理百姓的人，乐于赏赐而怕用刑罚，为百姓操心而不知疲倦。在春天、夏天行赏，在秋季、冬季行刑。因此，在将要行赏的时候就增加膳食，加膳以后可以把剩菜大批赐给下面让他们饱餐，由于这样而知道他乐于行赏。将要行刑的时候就减少膳食，减了膳食就撤去音乐，由于这样而知道他怕用刑罚。早起晚睡，早晚都亲临办理国事，由于这样而知道他为百姓操心。这三件事情，是礼仪的关键。讲求礼仪就不会失败。现在楚国滥用刑罚，楚国的大夫纷纷到四方的国家逃命，并且做别国的主要谋士，来危害楚国，以至于不可救药了，这就是所谓的滥用刑罚而不能容忍。子仪的叛乱，析公逃亡到晋国，晋国人把他安置在晋侯战车的后面，让他作为主要谋士。绕角那次战役，晋国人将要逃走了，析公说：‘楚军轻佻，容易被震动。如果同时敲打许多鼓发出大声，在夜里全军进攻，楚军必然会逃走。’晋国人听从了，楚军在夜里崩溃。晋国于是就侵入蔡国，袭击沈国，俘虏了沈国的国君，在桑隧打败申国和息国的军队，俘虏了申丽而回国。于是郑国不敢向着南面的楚国。楚国丧失了中原，这就是析公干出来的。雍子的父亲和哥哥诬陷雍子，国君和大夫不为他们去调解，雍子逃亡到晋国，晋国人将鄐地给了他，让他作为主要谋士。彭城那次战役，晋国、楚国在靡角之谷相遇。晋国人将要逃走了，雍子对军队发布命令说：‘年纪老的和年纪小的都回去，孤儿和有病的也都回去，兄弟两个服役的回去一个。精选徒兵，检阅车兵，喂饱马匹，让兵士吃饱，军队摆开阵势，焚烧帐篷，明天将要决战。’让该回去的回去，并且故意放走楚国俘虏。楚军在夜里崩溃。晋国降服了彭城而归还给宋国，带了鱼石回国。楚国失去东夷，子辛为此战而阵亡，这都是雍子干出来的。子反与子灵争夺夏姬，而阻挠了子灵的婚事，子灵逃亡到晋国，晋国人封给他邢地，让他作为主要谋士，抵御北狄，让吴国和晋国通好，教吴国背叛楚国，教他们坐车、射箭、驾车奔驰作战，让他的儿子狐庸做了吴国的行人。吴国于是就攻打巢地、占取驾地、攻下棘地、进入州来，楚国疲于奔命，到今天还是祸患，这就是子灵干出来的。若敖的叛乱，伯贲的儿子贲皇逃亡到晋国，晋国人封给他苗地，让他作为主要谋士。鄢陵那次战役，楚军早晨逼近晋军并摆开阵势。晋国人就要逃走了，苗贲皇说：‘楚军的精锐不过在于他们中军的王族，如果填井平灶，摆开阵势以抵挡他们，栾、范用家兵引诱楚军，中行和郤锜、郤至一定能够战胜子重、子辛。我们用四个军集中对付他们的王族，一定能够把他们打得大败。’晋国人听从了，楚军大败，君王受伤，军队一蹶不振，子反为此而死。郑国背叛，吴国兴起，楚国失去诸侯，这就是苗贲皇干出来的。”子木说：“阁下所说的就是那样的啊。”声子说：“现在又有比这厉害的。椒举娶了申公子牟的女儿，子牟得罪而逃亡。国君和大夫对椒举说：‘实在是你让他走的。’椒举害怕而逃亡到郑国，伸长了脖子望着南方，说：‘也许可以赦免我吧。’但是我们也不放在心上。现在他在晋国了。晋国人将要把县封给他，以和上大夫叔向并列。他如果策划危害楚国，岂不成为祸患？”子木听了这些，很恐惧，对楚康王说了，楚康王提高了椒举的官禄爵位而让他回楚国官复原职。声子让椒举之子椒鸣去迎接椒举归来。

吴季札观乐

（襄公二十九年）

【原文】

吴公子札[①]来聘。……请观于周乐。使工为之歌《周南》、《召南》[②]，曰："美哉！始基之矣，犹未也。然勤而不怨矣。"为之歌《邶》、《鄘》、《卫》，曰："美哉，渊乎！忧而不困者也。吾闻卫康叔、武公之德如是，是其《卫风》乎！"为之歌《王》，曰："美哉！思而不惧，其周之东乎？"为之歌《郑》，曰："美哉！其细已甚，民弗堪也，是其先亡乎！"为之歌《齐》，曰："美哉！泱泱乎，大风也哉！表东海者，其大公乎！国未可量也。"为之歌《豳》，曰："美哉，荡乎！乐而不淫，其周公之东乎！"为之歌《秦》，曰："此之谓夏声[③]。夫能夏则大，大之至也，其周之旧乎！"为之歌《魏》，曰："美哉，沨沨[④]乎！大而婉，险而易行，以德辅此，则明主也。"为之歌《唐》，曰："思深哉！其有陶唐氏之遗民乎？不然，何其忧之远也？非令德之后，谁能若是？"为之歌《陈》，曰："国无主，其能久乎？"自《郐》以下无讥焉。为之歌《小雅》，曰："美哉！思而不贰，怨而不言，其周德国之衰

乎？犹有先王之遗民焉。”为之歌《大雅》，曰：“广哉，熙熙乎！曲而有直体，其文王之德乎！”为之歌《颂》，曰：“至矣哉！直而不倨，曲而不屈，迩而不逼，远而不携，迁而不淫，复而不厌，哀而不愁，乐而不荒，用而不匮，广而不宣，施而不费，取而不贪，处而不底，行而不流。五声和，八风平[5]，节有度，守有序，盛德之所同也。”

见舞《象箾》、《南籥》[6]者，曰：“美哉！犹有憾。”见舞《大武》者，曰：“美哉！周之盛也，其若此乎！”见舞《韶濩》者，曰：“圣人之弘也，而犹有惭德[7]，圣人之难也。”见舞《大夏》者，曰：“美哉！勤而不德，非禹，其谁能修之？”见舞《韶箾》者，曰：“德至矣哉，大矣！如天之无不帱[8]也，如地之无不载也。虽甚盛德，其蔑以加于此矣。观止矣！若有他乐，吾不敢请已。”

【注释】

①吴公子札：札，亦名季札，吴王寿梦第四子。

②《周南》、《召南》：《诗经》十五国风开始的两组诗歌，以下所歌诗篇均见《诗经》。

③夏声：指西周时期的诗歌。秦据西周旧有之地，故下言“其周之旧乎”。

④渢渢：浮泛，轻飘。

⑤五声和，八风平：宫、商、角、徵、羽五声和谐。八风，谓八面之风，八风平也是指乐曲协调。

⑥《象箾》、《南籥》：均为舞蹈名。箾，音 xiāo，同“箫”；籥，音 yuè，形似笛。都是乐器。

⑦惭德：德行有欠缺。季札认为商汤伐夏桀是以下犯上，在德行上有不满意的地方。

⑧帱：音 dào，覆盖。

【译文】

吴国的公子札到鲁国来访问。……公子札请求聆听观看周朝的音乐和舞蹈。于是让乐工为他歌唱《周南》、《召南》。季札说：“美好啊！王业开始奠定基础了，还没有完成，然而百姓勤劳而不怨恨了。”为他歌唱《邶风》、《鄘风》、《卫风》之歌，他说：“美好又深厚啊！忧愁而不窘迫。我听说卫康叔、武公的德行就像这样，这大概就是《卫风》吧！”为他歌唱《王风》之歌，他说：“美好啊！思虑而不恐惧，大概是周室东迁以后的音乐吧！”为他歌唱《郑风》之歌，他说：“美好啊！但是它琐碎得太过分了，百姓是不能忍受的。这大概是郑国要先灭亡的原因吧！”为他歌唱《齐风》之歌，他说：“美好啊，宏大啊！这是大国的音乐啊！作为东海的表率的，大概是太公的国家吧！国家前途不可限量啊。”为他歌唱《豳风》之歌，他说：“美好啊，平正啊！欢乐而不过度，大概是周公东征的音乐吧！”为他歌唱《秦风》之歌，他说：“这就叫作西方的夏声。夏就是大，大到极点了，恐怕是周朝的旧乐吧！”为他歌唱《魏风》，他说：“美好啊，抑扬顿挫啊！粗犷而又婉转，艰难而易于推行，再用德行加以辅助，就是贤明的君主了。”为他歌唱《唐风》，他说：“思虑很深啊！大概有陶唐氏的遗民吧？不然的话，为什么那么忧思深远呢？不是美德者的后代，谁能像这样？”为他歌唱《陈风》，他说：“国家没有主人，难道能够长久吗？”从《郐风》以下的诗歌，季札听了就没有评论了。乐师为他歌唱《小雅》，他说：“美好啊！忧愁而没有三心二意，怨恨却不溢于言表，恐怕是周朝德行衰微时的乐章吧！还是有先王的遗民啊！”为他歌唱《大雅》，他说：“广博啊，和美啊！抑扬曲折而本体刚健劲直，大概是文王的德行吧！”为他歌唱《颂》，他说：“到达顶点了！正直而不倨傲，曲折而不卑下，亲近而不相逼，疏远而不离心，变易而不邪乱，反复而不厌倦，哀伤而不忧愁，欢乐而不荒淫，使用而不匮乏，宽广而不显露，施舍而不浪费，收取而不贪婪，静止而不停滞，行进而不流荡。五声和谐，八风协调。节拍有一定的尺度，乐器都按次序，这都是盛德之人所共同具有的美德啊。”

公子札看到跳歌颂周文王的《象箾》、《南籥》舞，说：“美好啊！但还有遗憾。”看到跳武王的《大武》舞，说：“美好啊！周朝兴盛的时候，大概就像这样吧！”看到跳殷汤的《韶濩》舞，说：“像圣人那样的弘大，尚且还有所惭愧，可见当圣人不容易啊！”看到跳禹的《大夏》舞，说：“美好啊！勤劳而不自以为有德，不是禹，还有谁能做到呢？”看到跳虞舜的《韶箾》舞，说："功德到达顶点了，伟大啊！像上天没有不覆盖的，像大地没有不承载的。只有盛德到达顶点，才不能再比这更有所增加了。聆听观看就到这里了！如果还有别的音乐，我不敢再请求欣赏了。"

郑子产为政

（襄公三十年—三十一年）

【原文】

郑子皮授子产政[1]，辞曰："国小而逼，族大宠多，不可为也。"子皮曰："虎帅以听，谁敢犯子？子善相之，国无小，小能事大，国乃宽。"

子产为政，有事伯石，赂与之邑。子大叔曰："国，皆其国也，奚独赂焉？"子产曰："无欲实难。皆得其欲，以从其事，而要其成。非我有成，其在人乎？何爱于邑，邑将焉往？"子大叔曰："若四国何？"子产曰："非相违也，而相从也，四国何尤焉？《郑书》[2]有之曰：'安定国家，必大焉先。'姑先安大，以待其所归。"既伯石惧而归邑，卒与之。伯有[3]既死，使大史命伯石为卿，辞。大史退，则请命焉。复命之，又辞。如是三，乃受策入拜。子产是以恶其为人也，使次己位。

子产使都鄙有章，上下有服，田有封洫，庐井有伍。大人之忠俭者，从而与之。泰侈者，因而毙之。

丰卷将祭，请田焉。弗许，曰："唯君用鲜，众给而已。"子张怒，退而征役。子产奔晋，子皮止之，而逐丰卷。丰卷奔晋。子产请其田里，三年而复之，反其田里及其入焉。

从政一年，舆人诵之曰："取我衣冠而褚之，取我田畴而伍之。孰杀子产，吾其与之！"及三年，又诵之曰："我有子弟，子产诲之。我有田畴，子产殖之[④]。子产而死，谁其嗣之？"……

（三十一年）子产之从政也，择能而使之。冯简子能断大事；子大叔美秀而文；公孙挥能知四国之为，而辨于其大夫之族姓、班位、贵贱、能否，而又善为辞令；裨谌能谋，谋于野则获，谋于邑则否。郑国将有诸侯之事，子产乃问四国之为于子羽，且使多为辞令；与裨谌乘以适野，使谋可否；而告冯简子，使断之；事成，乃授子大叔使行之，以应对宾客。是以鲜有败事。北宫文子所谓有礼也。

郑人游于乡校[⑤]，以论执政。然明谓子产曰："毁乡校，何如？"子产曰："何为？夫人朝夕退而游焉，以议执政之善否。其所善者，吾则行之；其所恶者，吾则改之。是吾师也，若之何毁之？我闻忠善以损怨，不闻作威以防怨。岂不遽止[⑥]？然犹防川，大决所犯，伤人必多，吾不克救也。不如小决使道。不如吾闻而药之[⑦]也。"然明曰："蔑也今而后知吾子之信可事也。小人实不才。若果行此，其郑国实赖之，岂唯二三臣？"

仲尼闻是语也，曰："以是观之，人谓子产不仁，吾不信也。"

子皮欲使尹何为邑。子产曰："少，未知可否。"子皮曰："愿，吾爱之，不吾叛也。使夫往而学焉，夫亦愈知治矣。"子产曰："不可。人之爱人，求利之也。今吾子爱人则以政，犹未能操刀而使割也，其伤实多。子之爱人，伤之而已，其谁敢求爱于子？子于郑国，栋也。栋折榱崩，侨将厌焉，敢不尽言？子有美锦，不使人学制焉。大官、大邑，身之所庇也，而使学者制焉，其为美锦，不亦多乎？侨闻学而后入政，未闻以政学者也。若果行此，必有所害。譬如田猎，射御贯，则能获禽。若未尝登车射御，则败绩厌覆是惧[8]，何暇思获？"子皮曰："善哉！虎不敏。吾闻君子务知大者、远者，小人务知小者、近者。我，小人也。衣服附在吾身，我知而

慎之；大官、大邑所以庇身也，我远而慢之。微子之言，吾不知也。他日我曰：‘子为郑国，我为吾家，以庇焉，其可也。’今而后知不足。自今请，虽吾家，听子而行。”子产曰：“人心之不同，如其面焉。吾岂敢谓子面如吾面乎？抑心所谓危，亦以告也。”子皮以为忠，故委政焉。子产是以能为郑国。

【注释】

①子皮：即罕虎，子展子，穆公之后，郑上卿。子产：即公孙侨，子国子，穆公之后，郑少卿。

②《郑书》：郑国的史籍，今佚。

③伯有：即行人良霄，郑国前任执政，作乱被杀。

④殖之：生殖。精心栽培，增加产量。

⑤乡校：地方学校，当为乡间的公共场所。

⑥岂不遽止：遽，音 jù，急，迅速。岂不是可以立刻阻止？

⑦药之：以……为药。即把郑人的议论当作苦口良药。

⑧败绩厌覆：败绩即翻车；厌，压也。败绩厌覆是惧，意谓老是担心翻车和被压。

【译文】

郑国的子皮把政权交给子产，子产辞谢，说：“国家小而逼近大国，家族庞大而受宠的人又多，不容易治理好。”子皮说：“我率领着群臣听从命令，谁敢触犯您？您好好地辅助国政吧。国家不在于小，小国如果能够侍奉大国，国家就可以得到缓和了。”

子产治理政事，有事情要伯石去办，赠送给他城邑。子太叔说："国家是大家的国家，为什么独给他送东西？"子产说："要使人没有欲望确实是很难的。使他们满足欲望，去办他们的事情而取得成功。这不是我的成功，难道是别人的成功吗？对城邑有什么爱惜的，它会跑到哪里去？"子太叔说："四方邻国将怎么看待这事？"子产说："这样做不是为了互相违背，而是为了互相顺从，四方的邻国对我们有什么可责备的？《郑书》上有这样的话：'安定国家，一定要优先照顾大族。'姑且先照顾大族，以等待看它后果怎么样。"不久，伯石害怕而把封邑归还，最终子产还是把城邑给了他。伯有死了以后，郑简公让太史去命令伯石做卿，伯石辞谢不受。太史退出，伯石又请求太史重新发布命令，命令下来了又辞谢。像这样反复数次，这才接受策书入朝拜谢。子产因此讨厌伯石的为人，但又怕他作乱，就让他居于仅次于自己的地位。

子产让城市和乡村有所区别，上下尊卑各有职责，田地四界有水沟，庐舍和耕地布局合理。对卿大夫中忠诚俭朴的，听从他，亲近他；骄傲奢侈的，依法惩办。

丰卷准备祭祀，请求猎取祭品。子产不答应，说："只有国君祭祀才用新猎取的野兽，一般人只要大致足够就可以了。"丰卷因此很生气，退出以后就征召兵徒。子产要逃亡到晋国，子皮阻止了他，而驱逐丰卷，丰卷逃亡到晋国。子产请求不要没收他的田地住宅，三年以后让丰卷回国复位，把他的田地住宅和一切收入都归还给他。

子产参与政事一年，人们歌唱道："计算我的家产而收财物税，丈量我的耕地而收田税。谁要杀死子产，我就助他一臂之力啊！"到了三年，又歌唱道："我有子弟，子产教诲他；我有土田，子产栽培它。子产如果死了，谁来继承他啊？"……

（三十一年）子产执掌政事，选择贤能而使用他们。冯简子能决断大事；子大叔仪表风度美好而又有文采；公孙挥了解各国诸侯的政令，同时对各国大夫家族姓氏、官职爵位、地位尊卑、才能大小都能明辨，并且又善于辞令；裨谌能出谋划策，但在野外策划就正确，在城里策划就失当。郑国将要与诸侯交涉，子产就向公孙挥询问四方诸侯的国内动向，而且让他妥善地准备好外交辞令；和裨谌一起乘车到郊外，让他考虑是否可行；再把考虑的结果告诉冯简子，让他决断；计划完成后，就交给子大叔让他执行，同宾客交往应对。因此很少有把事情办坏的时候。这就是北宫文子所说的"合于礼"。

郑国人在乡校游乐，议论执政者的得失。然明对子产说："毁掉乡校，怎么样？"子产说："为什么要毁乡校？人们早晚做完事情到那里游乐，并议论执政者的得失。他们认为好的，我就推行它；他们讨厌的，我就改掉它。这是我的老师啊，为什么要毁掉它呢？我听说用忠善之行可以减少怨恨，没有听说过用威势压人来防止怨恨，作威防怨岂不是立即可以把怨阻止？可是它就像防止河水一样，越堵，冲开的口子越大，伤人一定越多，我就无法挽救了。还不如开个小口子加以疏导。不如让我听到把它作为治病的药石啊。"然明说："我从今以后知道您确实可以成就大事了，小人实在没有才能。如果真这样做下去，整个郑国都会得到利益，岂止是几位大臣呢？"

孔子听到这些话，说："从这件事看来，有人说子产不仁，我不相信啊！"

子皮想让尹何做采邑的长官，子产说："太年轻，不知道行不行。"子皮说："他为人忠厚老实，我喜欢他，不会背叛我的。让他到那里去学习，他就能进一步懂得治理封邑了。"子产说："不行！别人喜欢一个人，总是考虑到要对那个人有利。现在您喜欢一个人却将政事交给他，就像一个人还不会拿刀子却让他去切东西，那对他的伤害一定会很大的。您喜欢一个人，不过是伤害他罢了，那谁还敢求取您的喜欢呢？您在郑国，好比是栋梁。栋梁折断，椽子会崩塌，我将会被压在底下，怎么敢不把话全部说完？您有美丽的织锦，是不会让别人拿来学习裁剪的。重要的官职、大的封邑，是自身赖以庇护的东西，反而让人学习着治理，它与美丽的织锦比不是重要得多吗？我听说学习以后才参与政务，没有听说通过做官来学习的。如果真这样做，必定有害处。好比打猎，射箭驾车熟练，就能获取禽兽。如果没有驾过车射过箭，那么一心害怕车辆翻覆人被辗压，哪里有空想着猎取野物呢？”子皮说：“好啊！我真是不聪明。我听说君子致力于从事了解大的、远的事情，小人致力于从事了解小的、近的事情。我是小人啊。衣服穿在我身上，我知道慎重地对待它；重要官职和大的封邑是用来庇护自身的，我反而疏忽而轻视它。没有您的这番话，我还不知道其中的道理呢。从前我说过：‘您治理郑国，我治理我的家族以庇护我自己，这就可以了。’从今以后我才知道自己的能力不够。从现在起我请求，即使是我的家族的事情，也听凭您的意见去做。”子产说：“人心各不相同，好像人的面孔各不相同一样。我哪里敢说您的面孔就像我的面孔呢？不过我心里觉得这样做危险，就告诉您了。”子皮认为子产忠诚，所以把政事全部托付给他，子产因此能够治理郑国。

景公欲更晏子之宅

（昭公三年）

【原文】

初，景公欲更晏子之宅，曰："子之宅近市，湫隘嚣尘[①]，不可以居，请更诸爽垲[②]者。"辞曰："君之先臣容焉，臣不足以嗣之，于臣侈矣。且小人近市，朝夕得所求，小人之利也。敢烦里旅[③]？"公笑曰："子近市，识贵贱乎？"对曰："既利之，敢不识乎？"公曰："何贵，何贱？"于是景公繁于刑，有鬻踊者[④]。故对曰："踊贵，屦贱。"既已告于君，故与叔向语而称之。景公为是省于刑。

君子曰："仁人之言，其利博哉！晏子一言而齐侯省刑。《诗》曰[⑤]：'君子如祉，乱庶遄已。'其是之谓乎！"

及晏子如晋，公更其宅，反，则成矣。既拜，乃毁之，而为里室，皆如其旧。则使宅人反之，曰："谚曰：'非宅是卜，唯邻是卜。'二三子先卜邻矣，违卜不祥。君子不犯非礼，小人不犯不祥，古之制也。吾敢违诸乎？"卒复其旧宅。公弗许，因陈桓子以请，乃许之。

【注释】

①湫隘嚣尘：湫，音 jiǎo，低洼；隘，狭小；嚣，喧闹；尘，尘土多。

②爽垲：爽，明亮；垲，音 kǎi，地势高而且干燥。

③里旅：二十五家为里，五百人为旅。里旅，主里旅的地方官。

④屦踊：踊，受过刖刑的人穿的鞋子。刖足者一足跃而前，故曰踊。屦踊者，卖假脚的。

⑤《诗》曰：《诗经·小雅·巧言》句。

【译文】

起初，齐景公想更换晏子的住宅，说："您的住宅靠近市场，低湿狭窄，喧闹多尘，不适合居住，请替您换一所明亮高爽的房子吧。"晏子辞谢说："君主的先臣我的祖父辈就住在这里。臣不足以继承先臣的业绩，这对我来说已经很过分了。况且小人住得靠近市场，早晚能得到自己所需要的东西，这是小人的便利。哪敢麻烦邻里迁居为我建房？"景公笑着说："您靠近市场，了解物品的贵贱吗？"晏子回答说："既然以它为利，岂敢不知道呢？"景公说："什么贵？什么贱？"当时齐景公滥用刑罚，有卖假脚的，所以晏子回答说："假脚贵，鞋子贱。"晏子已经把此话告诉了国君，所以在和叔向的谈话中说到这个。齐景公听后便减省了刑罚。

君子说："仁义之人的话，它的利益广博啊！晏子一句话，齐侯就减少了刑罚。《诗》上说：'君子如行福佑，祸难差不多就可急速止息了。'说的就是这个吧！"

等到晏子去晋国，齐景公便改建了他的住宅。等晏子回国时，新住宅已经建成了。晏子拜谢之后，毁掉新房并建造邻里的住房，一切还像原来那样，让原住户的人回来，说："俗语讲：'不是要占卜住宅，而是要占卜邻居。'这几位邻人已经先占卜好邻居了，违背占卜不吉祥。君子不做不合乎礼的事，小人不做不吉祥的事，这是古代的制度。我敢违背它吗？"最终还是恢复了他们的旧宅。景公不同意，晏子托陈桓子代为讲情，景公才同意了。

阎没女宽谏魏献子

(昭公二十八年)

【原文】

冬，梗阳人有狱，魏戊不能断，以狱上。其大宗赂以女乐，魏子①将受之。魏戊谓阎没、女宽曰："主以不贿闻于诸侯，若受梗阳人，贿莫甚焉。吾子必谏！"皆许诺。退朝，待于庭。馈入，召之。比置②，三叹。既食，使坐。魏子曰："吾闻诸伯叔，谚曰：'唯食忘忧。'吾子置食之间三叹，何也？"同辞而对曰："或赐二小人酒，不夕食。馈之始至，恐其不足，是以叹。中置，自咎曰：'岂将军③食之而有不足？'是以再叹。及馈之毕，愿以小人之腹为君子之心，属厌而已④。"献子辞梗阳人。

【注释】

①魏子：即魏献子，名舒，魏绛之子，时为晋执政大夫。

②比置：比，及，等到。置，放置食器、食品。

③将军：时魏献子将中军，故称。

④属厌而已：属，足，充足；厌，吃饱，满足。言小人能吃饱饭就已满足，愿君子之心亦然。

【译文】

冬天，梗阳人有诉讼，梗阳大夫魏戊不能断案，把案件上报给魏献子。诉讼一方的大宗长房送来歌姬舞女贿赂魏献子，魏献子打算接受下来。魏戊对阎没、女宽说："主人以不受贿赂名闻诸侯，如果收下梗阳人的歌姬舞女，就没有比这再大的贿赂了。你们二位一定要去劝谏！"两个人都答应了。退朝以后，等在魏献子院子里。送饭菜的进来了，魏献子就招呼他们两人一起来吃饭。等到摆上饭菜，两个人三次叹气。吃完了，让他俩坐下，魏献子说："我听我伯父叔父说过：'吃饭的时候要忘记忧愁。'您二位在摆上饭菜的时候三次叹气，是为了什么啊？"两个人异口同声地回答说："有人把酒赐给我们两个小人，昨天晚上喝醉了，没有吃饭，实在是饿了。饭菜刚到时，恐怕不够吃，所以叹气。等饭菜上到一半，就责备自己说：'难道将军让我们吃饭还会不够吃吗？'因此再次叹气。等饭菜上完，吃饱了，已很满足。愿君子之心也能和我们小人一样，能吃饱饭也就满足了啊。"魏献子就拒绝了梗阳人的贿赂。

子常索贿

（定公三年）

【原文】

蔡昭侯为两佩与两裘以如楚，献一佩一裘于昭王。昭王服之，以享蔡侯。蔡侯亦服其一。子常[①]欲之，弗与，三年止之。唐成公如楚，有两肃爽[②]马，子常欲之，弗与，亦三年止之。唐人或相与谋，请代先从者，许之。饮先从者酒，醉之，窃马而献之子常。子常归唐侯。自拘于司败，曰："君以弄马之故，隐君身，弃国家。群臣请相夫人以偿马，必如之。"唐侯曰："寡人之过也，二三子无辱。"皆赏之。蔡人闻之，固请而献佩于子常。子常朝，见蔡侯之徒，命有司曰："蔡君之久也，官不共也。明日礼不毕，将死。"蔡侯归，及汉，执玉而沈[③]，曰："余所有济汉而南者，有若大川！"蔡侯如晋，以其子元与其大夫之子为质焉，而请伐楚[④]。

【注释】

①子常：名囊瓦，又称楚瓦，时执政楚国。

②肃爽：又作肃霜，良马名。

③执玉而沈：蔡昭侯当另有一块玉石。沈，同"沉"。

④而请伐楚：定公四年载，晋辞蔡昭侯。蔡昭侯又约请吴王阖闾伐楚，子常兵败，出奔郑。

【译文】

蔡昭侯制作了两块玉佩和两件皮衣到楚国去，把一块玉佩和一件皮衣献给楚昭王。昭王穿上皮衣戴好玉佩，设享礼招待蔡昭侯。蔡昭侯也穿戴了另外一件皮衣和玉佩。子常想要蔡昭侯的皮衣和玉佩，蔡侯不给，子常就把蔡昭侯扣留了三年。唐成公到楚国去，有两匹肃爽马，子常也想要，唐成公不给，子常也把唐成公扣留了三年。唐国有人互相商量，请求替代先跟唐成公去楚国的人，答应了。让先跟去的人喝酒，灌醉了他们，偷了马献给子常。子常送回了唐成公。偷马的人自己囚禁到了唐国司法官那里，说："国君因为玩马的缘故，使自身失去自由，抛弃了国家。臣下们请求帮助养马人赔偿马，一定要像以往两匹马一样的好。"唐成公说："这是寡人的过错。您几位不要羞辱自己！"对他们全都给予赏赐。蔡国人听说了这件事，坚决请求，就把玉佩献给了子常。子常上朝，见到蔡侯的手下人，就命令官员们说："蔡侯之所以长久留在我国，都是因为你们不供给馈赠饯别的礼物。到明天礼物再不完备，你们就要被处死。"蔡昭侯回国，到达汉水，拿起块玉丢入汉水中，说："我要是再渡汉水往南，有大川为证！"蔡昭侯到晋国去，以他的儿子元和大夫的儿子作为人质，请求晋国攻打楚国。

申包胥如秦乞师

（定公四年）

【原文】

初，伍员与申包胥友。其亡也，谓申包胥曰："我必复楚国①。"申包胥曰："勉之！子能复之，我必能兴之。"及昭王在随②，申包胥如秦乞师，曰："吴为封豕、长蛇，以荐食上国，虐始于楚。寡君失守社稷，越在草莽，使下臣告急，曰：'夷德无厌，若邻于君③，疆埸之患也。逮吴之未定，君其取分焉。若楚之遂亡，君之土也。若以君灵抚之，世以事君。'"秦伯使辞焉，曰："寡人闻命矣。子姑就馆，将图而告。"对曰："寡君越在草莽，未获所伏。下臣何敢即安？"立依于庭墙而哭，日夜不绝声，勺饮不入口七日。秦哀公为之赋《无衣》④，九顿首而坐。秦师乃出。

【注释】

①必复楚国：据昭公二十年传，伍员字子胥，楚平王杀其父伍奢、其兄伍尚，伍员奔吴，誓言覆楚报杀其父兄之仇。

②昭王在随：本年传，冬，蔡侯、吴子、唐侯伐楚，楚师败绩，吴入楚都郢，楚昭王逃亡到随国。

③若邻于君：楚在吴国、秦国之间，吴国占领了楚国，则以秦为邻。

④《无衣》：见《诗经·秦风·无衣》。

【译文】

当初，伍员和申包胥是朋友。伍员逃亡的时候，对申包胥说：“我一定要颠覆楚国。”申包胥说：“尽力去干吧！您能颠覆楚国，我一定能复兴楚国。”等到楚昭王在随国避难，申包胥就到秦国去请求出兵，说：“吴国就是大猪、长蛇，一再吞食中原国家，为害从楚国开始。我们的国君失守了国家，远在杂草丛林之中，使下臣报告急难，说：‘夷人的本性是贪得无厌，如果吴国成为君王的邻国，这是边境的祸患啊。乘着吴国还没有安定下来，君王可以与吴去平分楚国。如果楚国就此灭亡了，那就是君王的土地了。如果我们仰仗君王的威福派兵镇抚楚国，楚国将世世代代事奉君王。’”秦哀公派人辞谢申包胥，说：“我知道您的意见了，您姑且到宾馆休息，我们商量一下再答复您。”申包胥回答说：“我们的国君逃亡到杂草丛林之中，还没有得到安身的地方，下臣怎么敢去休息呢？”于是，申包胥就靠着院墙站着号啕大哭，日夜哭声不断，七天不喝一口水。秦哀公大为感动，为申包胥赋了《无衣》这首诗。申包胥叩头九次，然后坐下。秦军于是就出动了。

夹谷之会

（定公十年）

【原文】

（十年）春，及齐平[1]。

夏，公会齐侯于祝其，实夹谷[2]。孔丘相[3]。犁弥言于齐侯曰："孔丘知礼而无勇，若使莱人以兵劫鲁侯，必得志焉。"齐侯从之。孔丘以公退，曰："士兵之！两君合好，而裔夷之俘以兵乱之，非齐君所以命诸侯也。裔不谋夏，夷不乱华，俘不干盟，兵不逼好，于神为不祥，于德为愆义，于人为失礼，君必不然。"齐侯闻之，遽辟之。

将盟，齐人加于载书曰："齐师出竟，而不以甲车三百乘从我者，有如此盟！"孔丘使兹无还揖对，曰："而不反我汶阳之田，吾以共命者，亦如之！”

齐侯将享公。孔丘谓梁丘据曰：“齐、鲁之故，吾子何不闻焉？事既成矣，而又享之，是勤执事也。且牺象不出门，嘉乐[④]不野合。飨而既具，是弃礼也；若其不具，用秕稗[⑤]也。用秕稗，君辱；弃礼，名恶。子盍图之！夫享，所以昭德也。不昭，不如其已也。”乃不果享。

齐人来归郓、讙、龟阴之田。

【注释】

①及齐平：因齐曾伐鲁西鄙，定公八年，鲁侵齐，故有十年之议和。

②夹谷：地名，又名祝其，即今山东莱芜之夹谷峪。

③相：傧相。国君朝聘会盟皆卿大夫为相，唱导仪礼。时孔子相鲁，故从鲁定公赴会任傧相。

④牺象、嘉乐：牺、象，贵重的酒器；嘉乐，钟、磬。

⑤秕、稗：秕子和稗草。言以粗劣之物做享礼，有草草苟且之嫌。

【译文】

（十年）春季，鲁国和齐国议和。

夏季，鲁定公在祝其会见齐景公，祝其也就是夹谷。孔丘担任傧相。犁弥对齐景公说：“孔丘懂得礼而缺乏勇气，如果派莱地人用武力劫持鲁定公，一定可以使我们如愿以偿。”齐景公听从了。孔丘领着鲁定公退出去，说：“士兵拿起武器攻上去！两国的国君会见友好，而边远的东夷俘虏却用武力来捣乱，这不是齐君用以领命诸侯的做法啊。边远不能图谋中原，东夷不能搅乱华人，俘虏不能侵犯盟会，武力不能逼迫友好，如果这样做，对于神明来说是大不吉祥的，对于德行来说是丧失道义的，对于人们来说是丢弃礼仪的，君王必定不会这样做。”齐景公听了以后，很快就让莱地人退避。

将要盟誓，齐国人在盟书上加上一句话，说：“如果齐军出境，而鲁国不派三百辆甲车跟随他们的话，有盟誓为证！”孔丘让兹无作揖回答说：“你们如果不归还我们汶阳的田地，让我们用来供应齐国的需要，也有盟誓为证！”

齐景公准备设享礼招待鲁定公。孔丘对梁丘据说：“齐国、鲁国旧有的典礼，您为什么没有听说过呢？事情已经完成了，而又设享礼，这是徒然烦劳执事。而且牺尊、象尊不出国门，钟、磬不在野外合奏。设享礼而全部具备这些东西，不合乎礼法；如果不具备，那就像秕子稗子一样轻微而不郑重。像秕子稗子一样，这是君王的耻辱；不合乎礼法，就名声不好。您何不考虑一下呢！享礼，是用来宣扬德行的。不能宣扬，不如不用。”于是终于没有设享礼。

齐国人前来归还了郓地、讙地、龟阴的田地。

伍员谏许越平

（哀公元年）

【原文】

吴王夫差败越于夫椒，报槜李[①]也。遂入越。越子以甲楯五千保于会稽[②]，使大夫种因吴太宰嚭以行成。吴子将许之。伍员曰："不可。臣闻之：'树德莫如滋，去疾莫如尽。'昔有过浇杀斟灌以伐斟鄩，灭夏后相，后缗方娠，逃出自窦，归于有仍，生少康焉。为仍牧正，惎[③]浇能戒之。浇使椒求之，逃奔有虞，为之庖正，以除其害。虞思于是妻之以二姚，而邑诸纶，有田一成，有众一旅[④]。能布其德，而兆其谋，以收夏众，抚其官职。使女艾谍浇，使季杼诱豷。遂灭过、戈[⑤]，复禹之绩。祀夏配天，不失旧物。今吴不如过，而越大于少康。或将丰之，不亦难乎！句践能亲而务施，施不失人，亲不弃劳。与我同壤，而世为仇雠。于是乎克而弗取，将又存之，违天而长寇雠，后虽悔之，不可食已。姬之衰也[⑥]，日可俟也。介在蛮夷，而长寇雠，以是求伯，必不行矣。"弗听。退而告人曰："越十年生聚，而十年教训，二十年之外，吴其为沼乎[⑦]！"三月，越及吴平。

【注释】

①檇李：檇音 zuì，吴越边界地名，在今浙江嘉兴一带。定公十四年，越曾大败吴军于此地，夫差之父阖闾受伤致死。

②会稽：会稽山，在今浙江绍兴东南。

③惎：音 jì，嫉恨，毒害。

④有田一成，有众一旅：一成方十里，一旅五百人。

⑤过、戈：过，浇的国家；戈，浇弟豷的国家。

⑥姬之衰也：吴国为姬姓国，连下言吴国的衰落指日可待。

⑦吴其为沼乎：吴国宫室废坏，当为污池。预言越将灭吴，为哀公二十二年越灭吴伏笔。

【译文】

吴王夫差在夫椒打败越军，报了在檇李之役失败之仇。接着，就乘势进入了越国。越王勾践带着披甲持盾的士兵五千人踞守在会稽山，派大夫文种通过吴国的太宰嚭而向吴国求和。吴王打算答应。伍员说："不能答应。下臣听说：'建树德行最好不断培植，除去毒害最好扫除干净。'从前有过国的国君浇杀了斟灌而攻打斟鄩，灭了夏后相，后缗正怀着孕，从城墙的小洞里逃出去，回到娘家有仍国，生了少康。少康后来在有仍国做了管理畜牧的牧正，对浇满怀仇恨而能警惕戒备。浇派椒寻找少康，少康逃奔到有虞国，做了那里掌管庖厨的庖正官，才逃避了浇的杀害。有虞国君虞思因此把两个女儿嫁给了他，封他在纶邑，拥有方圆十里的田地，有五百人的兵力。少康能广施恩德，并开始实施复国计划，收集夏朝的余部，安抚他的官员。派遣女艾到浇那里去做间谍，派季杼去引诱浇的弟弟豷。这样就灭亡了过国、戈国，复兴了禹的事业。少康奉祀夏朝的祖先同时祭祀天帝，维护了原有的天下。现在吴国不如过国，而越国大于少康。如果允许越国讲和，或将使其更加强大，吴国不是更加为难了吗？勾践能亲近别人而致力于施舍，对应该施舍的人就加以施舍，对有功劳的人从不抛弃而加以亲近。越国和我国土地相连，而且又世世代代是仇敌。在这种情况下如果我们战胜了越国而不吞并它，打算又让它存在下去，这是违背上天而去助长仇敌，以后即使懊悔，也吃不消了。姬姓国衰微，很快就来到了。我国地在越、楚蛮夷之间，而还去助长仇敌的发展，用此来求取霸业，必然是行不通的。”吴王夫差不听劝谏。伍员退下去告诉别人说：“越国用十年时间繁衍积聚，用十年时间教育训练，二十年以后，吴国的宫殿恐怕要成为池沼了！”三月，越国和吴国讲和了。

黄池之会

（哀公十三年）

【原文】

夏，公会单平公、晋定公、吴夫差于黄池[①]。……

秋七月辛丑，盟，吴、晋争先[②]。吴人曰："于周室，我为长。"晋人曰："于姬姓，我为伯。"赵鞅呼司马寅曰："日旰矣，大事未成，二臣之罪也。建鼓整列，二臣死之，长幼必可知也。"对曰："请姑视之。"反，曰："肉食者无墨。今吴王有墨，国胜乎？大子死乎？且夷德轻，不忍久，请少待之。"乃先晋人。

吴人将以公见晋侯，子服景伯对使者曰："王合诸侯，则伯帅侯牧以见于王。伯合诸侯，则侯帅子男以见于伯。自王以下，朝聘玉帛不同。故敝邑之职贡于吴，有丰于晋，无不及焉，以为伯也[③]。今诸侯会，而君将以寡君见晋君，则晋成为伯矣，敝邑将改职贡。鲁赋于吴八百乘，若为子男，则将半邾以属于吴，而如邾以事晋[④]。且执事以伯召诸侯，而以侯终之，何[⑤]利之有焉？"吴人乃止。既而悔之，将囚景伯。景伯曰："何也立后于鲁矣。将以二乘与六人从，迟速唯命。"遂囚以还。及户牖，谓太宰曰："鲁将以十月上辛有事于上帝先王，季辛而毕。何世有职焉，自襄以来，未之改也。若不会，祝宗将曰：'吴实然。'且谓鲁不共，而执其贱者七人，何损焉？"太宰嚭言于王曰："无损于鲁，而只为名，不如归之。"乃归景伯。

【注释】

①黄池：宋地，在今河南封丘。

②吴、晋争先：争先，争歃血的先后，先歃血者为盟主。吴为泰伯之后，应为周代诸国之长。晋为当时的霸主，是诸侯之长。

③以为伯也：以吴为侯伯，当霸主对待。自吴王夫差崛起，晋霸益衰，故鲁为抵挡齐国的威胁，亲事吴。

④如邾以事晋：邾国为子爵，事诸侯长晋国六百乘。如果将鲁也降为子爵，吴国只是一般诸侯，则鲁赋于吴只能为半邾，即三百乘。

⑤何：景伯名何，姓子服氏，在鲁国世代共祭事。

【译文】

夏季，鲁哀公在黄池会见单平公、晋定公、吴王夫差。……

秋七月初六日，吴国和晋国在盟会争执歃血的先后。吴国人说："在周王室中，我们是老大。"晋国人说："在姬姓国之中，我们为首。"赵鞅对司马寅说："天已晚了，大事没有办成，是我们两个臣下的罪过。竖起旗帜整顿队列，我们两人战斗到死，次序先后就一定可以见到分晓。"司马寅说："请姑且到吴王那里观察一下。"回来，说："高贵的人的气色没有灰暗无神的。现在吴王气色灰暗，是他的国家被敌人战胜了吗？或许是太子死了吧？而且夷人轻佻不沉着，不能长久忍耐，请稍等一等。”吴国人就让晋国人先歃血。

吴国人要带着鲁哀公去进见晋定公，子服景伯对使者说：“天子会合诸侯，那么诸侯之长就率领诸侯进见天子；诸侯之长会合诸侯，那么诸侯就率领子、男进见诸侯之长。从天子以下，朝聘时所用的玉帛也不相同。所以敝邑进贡给吴国的，要比晋国丰厚，而没有比不上的，因为把吴国作为诸侯的领袖看待。现在诸侯会见，而君王准备带领寡君进见晋君，那么晋国就成为诸侯的领袖了，我们将会改变进贡的数量。鲁国原来进贡八百辆战车给贵国，如果变成子、男，那么将会按邾国战车的一半作为贡品，而按邾国事奉晋国战车的数量来事奉晋国。而且执事以诸侯之长的身份召集诸侯，而以一般诸侯的身份结束，这有什么好处呢？”吴国人就没有那么做。不久又后悔了，打算囚禁景伯。景伯说：“我已经在鲁国立了继承人，打算带两辆车子和六个人跟随着去，早走晚走唯命是听。”吴国人就囚禁了景伯，并将景伯带回去。到达户牖，景伯对太宰嚭说：“鲁国将要在十月的第一个辛日祭祀天帝和先王，最后一个辛日完毕。我家世世代代都在祭祀中担任一定的职事，从鲁襄公以来没有改变过。如果我不参加，祝宗将会说：‘是吴国让他这样的。’而且贵国还会认为鲁国不恭敬，只逮住了他们七个卑微的人，对鲁国有什么损害呢？”太宰嚭对吴王说：“对鲁国没有什么损害，而只能造成坏名声，不如把他们放回去。”所以就放回了景伯。

白公胜之乱

（哀公十六年）

【原文】

楚大子建[①]之遇谗也，自城父奔宋。又辟华氏之乱于郑，郑人甚善之。又适晋，与晋人谋袭郑，乃求复焉。郑人复之如初。晋人使谍于子木，请行而期焉。子木暴虐于其私邑，邑人诉之。郑人省之，得晋谍焉，遂杀子木。其子曰胜，在吴。子西欲召之，叶公[②]曰："吾闻胜也诈而乱，无乃害乎？"子西[③]曰："吾闻胜也信而勇，不为不利。舍诸边竟，使卫藩焉。"叶公曰："周仁之谓信，率义之谓勇。吾闻胜也好复言，而求死士，殆有私乎！复言，非信也；期死，非勇也。子必悔之。"弗从。召之，使处吴竟，为白公。请伐郑。子西曰："楚未节也。不然，吾不忘也。"他日，又请，许之。未起师，晋人伐郑，楚救之，与之盟。胜怒，曰："郑人在此，仇不远矣[④]。"

胜自厉剑，子期之子平见之，曰："王孙何自厉也？"曰："胜以直闻，不告女，庸为直乎？将以杀尔父。"平以告子西。子西曰："胜如卵，余翼而长之。楚国第，我死，令尹、司马，非胜而谁？”胜闻之，曰：“令尹之狂也！得死，乃非我。”子西不悛。胜谓石乞曰：“王与二卿士[5]，皆五百人当之，则可矣。”乞曰：“不可得也。”曰：“市南有熊宜僚者，若得之，可以当五百人矣。”乃从白公而见之，与之言，说。告之故，辞。承之以剑，不动。胜曰：“不为利谄，不为威惕，不泄人言以求媚者，去之。”

吴人伐慎，白公败之。请以战备献，许之，遂作乱。秋七月，杀子西、子期于朝，而劫惠王。子西以袂掩面而死[6]。子期曰：“昔者吾以力事君，不可以弗终。”抉豫章以杀人而后死。石乞曰：“焚库弑王，不然，不济。”白公曰：“不可。弑王，不祥，焚库，无聚，将何以守矣？”乞曰：“有楚国而治其民，以敬事神，可以得祥，且有聚矣，何患？”弗从。

叶公在蔡，方城之外皆曰：“可以入矣。”子高曰：“吾闻之，以险侥幸者，其求无餍，偏重必离。”闻其杀齐管脩也，而后入。

白公欲以子闾为王，子闾[7]不可，遂劫以兵。子闾曰：“王孙若安靖楚国，匡正王室，而后庇焉，启之愿也，敢不听从？若将专利以倾王室，不顾楚国，有死不能。”遂杀之，而以王如高府，石乞尹门。圉公阳穴宫，负王以如昭夫人之宫。

叶公亦至，及北门，或遇之，曰：“君胡不胄？国人望君如望慈父母焉。盗贼之矢若伤君，是绝民望也。若之何不胄？”乃胄而进。又遇一人曰：“君胡胄？国人望君如望岁焉，日日以几[8]。若见君面，是得艾也。民知不死，其亦夫有奋心，犹将旌君以徇于国，而又掩面以绝民望，不亦甚乎！”乃免胄而进。遇箴尹固帅其属，将与白公。子高曰：“微二子者，楚不国矣。弃德从贼，其可保乎？”乃从叶公。使与国人以攻白公。白公奔山而缢，其徒微之。生拘石乞，而问白公之死焉，对曰：“余知其死所，而长者使余勿言。”曰：“不言，将烹。”乞曰：“此事克则为卿，不克则烹，固其所也。何害？”乃烹石乞。王孙燕奔頯黄氏[9]。

诸梁兼二事，国宁，乃使宁为令尹，使宽为司马[10]，而老于叶。

【注释】

①大子建：楚平王太子，字子木，据昭公十九年、二十年载，有人告他将以方城之外叛，平王欲使司马奋扬杀之，大子建奔宋。

②叶公：即沈诸梁，字子高。因食采于叶，故称叶公子高。

③子西：又称公子申，与下文子期皆为楚平王之庶弟，昭王庶兄，时为楚令尹。

④郑人在此，仇不远矣：郑对白公胜来说有杀父之仇。今子西救郑，又与之盟，于是比子西如杀父仇人。

⑤王与二卿士：指楚惠王与令尹子西、司马子期。

⑥以袂掩面而死：杜预注“惭于叶公”。

⑦子闾：楚惠王庶兄公子启，五辞王者。事见哀公六年传。
⑧日日以几：几同"冀"，盼望，日日盼望君来。
⑨王孙燕奔頯黄氏：王孙燕，白公胜之弟。頯黄，吴国地名。
⑩宁为令尹，宽为司马：宁，子西之子子国。宽，子期之子公孙宽。

【译文】

楚国太子建遭到诬陷的时候，从城父逃亡到宋国。又去郑国躲避宋国的华氏之乱，郑国人待他很好。又到晋国，和晋国人策划袭击郑国，为此就要求再回到郑国去。郑国人待他像以前一样好。晋国人派间谍和太子建联系，事情完了准备回晋国，同时约定袭击郑国的日期。太子建在他的封邑里大肆暴虐，封邑的人告发他。郑国派人来查问，发现了晋国的间谍，于是就杀死了太子建。太子建的儿子名叫胜，在吴国。子西想召他回来，叶公说："我听说胜这个人狡诈而好作乱，未免有祸害吧！"子西说："我听说胜这个人诚实而勇敢，不做没有利的事情。把他安置在边境上，让他保卫边疆。"叶公说："符合仁爱叫作诚信，遵循道义叫作勇敢。我听说胜这个人务求实践诺言，而又遍求不怕死的人，大约是有私心吧！不管什么话都要实践，这不是诚信；不管什么事情都不怕死，这不是勇敢。您一定会后悔的。"子西不听他的意见，把胜召回来，让他住在和吴国接壤的地方，号为白公。白公胜请求进攻郑国，子西说："楚国因为战乱，一切政事还没纳入正常轨道。不是这样的话，我是不会忘记的。"过了些时候，白公胜又请求，子西同意了。还没有出兵，晋国攻打郑国，楚国却救援郑国，并和郑国结了盟。白公胜十分生气，说："郑国人就在这里，仇人离得不远啊。"

白公胜亲自磨剑，子期的儿子平见到了，问白公胜："您为什么亲自磨剑呢？”白公胜说：“我是以爽直著称的，不告诉你，哪里能算得上直爽呢？我要杀死你的父亲。”平把这些话报告给子西。子西说：“胜就像鸟蛋，是在我的覆翼下长大的。在楚国，只要我死了，令尹、司马，不归于胜还归于谁？”胜听了子西的话，说：“令尹真狂妄啊！他要得到好下场，我就不是我。”子西还是没有觉察。白公胜对石乞说：“君王和两位卿士，一共用五百个人对付，就可以了。”石乞说：“这五百个人是找不到的。”又说：“市场的南边有个叫熊宜僚的，如果找到他，可以抵五百个人。”石乞就跟着白公胜去见熊宜僚，和他谈话，很高兴。把请他杀二卿士的事告诉他，他拒绝了。把剑架在他脖子上他也一动不动。白公胜说：“这是不为利诱、不怕威胁、不泄漏别人的话去讨好的人，我们走吧。”

吴国人攻打慎地，他们被白公胜打败了。白公胜请求奉献战利品，楚惠王同意了，白公胜就乘机发动叛乱。秋七月，在朝廷上杀了子西、子期，并且劫持了楚惠王。子西用袖子遮着脸而死去。子期说：“过去我用勇力事奉君王，不能有始无终。”拔起一株樟树打死了敌人然后死去。石乞说：“焚烧府库，杀死君王。不这样，事情不能成功。”白公胜说：“不可以。杀死君王不吉祥，烧掉府库没有积蓄，将要用什么来保有楚国？”石乞说：“有了楚国而治理百姓，用恭敬来事奉神灵，就能得到吉祥，而且还有积蓄，怕什么？”白公胜不肯听从。

叶公住在蔡地，方城山外边的人都说：“可以进兵国都了。”叶公说：“我听说，用冒险而侥幸成功的，他的欲望不会满足，办事不公平，必然众心不附。”听到白公胜杀了齐国的管脩，然后才进入郢都。

白公胜想要让子闾做楚王，子闾不答应，就用武力劫持他。子闾说：“您如果安定楚国，整顿王室，然后对启加以庇护，这是启的愿望，岂敢不听从？如果要专谋私利来倾覆王室，置国家于不顾，那么启宁

死也不从。”接着，白公胜就杀了公子闾，带着楚惠王到高府去，石乞守卫高府之门。圉公阳在宫墙上挖开一个窟窿，背上楚惠王到了昭夫人的宫中。

叶公也在这时候来到了，到达北门，有人在路上碰上他，说：“您为什么不戴上头盔？国内的人们盼望您好像盼望慈爱的父母，盗贼的箭如果射伤您，这就断绝了百姓的期望。为什么不戴上头盔？”叶公就戴上头盔而进入。又遇到一个人对叶公说：“您为什么戴上头盔？国内的人们盼望您好像盼望一年的收成，天天盼望。如果见到您的面，就能安心了。百姓知道不会再有生命危险，人人就会有奋战之心，还打算把您的名字写在旗帜上在都城里巡行，但是您又把脸遮起来以断绝百姓的盼望，不也太过分了吗！”叶公就脱下头盔而前进。遇到箴尹固率领他的部下，打算去帮助白公胜。叶公说：“如果没有子西、子期他们两位，楚国就不成为国家了。抛弃德行跟从盗贼，难道会有保障吗？”箴尹固就跟随了叶公。叶公派他和国内的人们攻打白公胜。白公胜逃到山上自己上吊死了，他的部下把尸体藏起来。叶公活捉了石乞而追问白公胜的尸体藏在何处，石乞回答说：“我知道他尸体所藏的地方，但是白公让我不要说。”叶公说：“不说，就烹了你。”石乞说：“这件事情成功就能做卿，不成功就被烹，这本来是应有的结果，有什么妨害？”于是就烹了石乞。王孙燕逃亡到頯黄氏。

叶公一身兼任令尹、司马二职，等国家安定以后，就让宁做令尹，宽做司马，自己则在叶地退休养老。